LLUVIA SOBRE EL BARMAN

NOVELA

Blanca Mart

Felou®

Serie
Círculo de Palabras

LLUVIA SOBRE EL BARMAN

NOVELA

Blanca Mart

Serie
Círculo de Palabras

Lluvia sobre el barman
©2007 Blanca Mart

De esta edición:
©D.R., 2007, Ediciones Felou, S.A. de C.V.
Juan Escutia 45-6, Col. Condesa
06140, México, D.F.
sabermas@felou.com
www.felou.com

Diseño de cubierta y formación: Jorge Romero
Fotografía de portada: Jorge Romero

ISBN10: 970-49-0004-X
ISBN13: 978-970-49-0004-5

Impreso en México

A Miguel, Elena e Iván: siempre una nueva aventura

En ese camino de los libros...

A los señores Manuel Gaya y Dora Samblancat
A Mary y Pedro Bayona, a Adip Sabag, a Lilia Granillo,
A Neus Falcó, a Susana Arroyo-Furphy

A la Tertulia del Vivero, a los escritores:
Pedro Paunero y Juan Saravia

A los poetas urbanos:
Aldo Alba y Jesús Vicente García

A Iván Pujol, que se enamoró de esta novela

A Nat Matius que celebró este libro

A Ángela Martínez: una novela de misterio
en Barcelona

A Mercedes Fernández: otro paseo por el Barrio gótico

A Ramiro Martínez y a Elena Pujol que
me presentaron a José Alberto

A José Alberto, que inició otra aventura

PRÓLOGO

El cartel de hierro forjado se balanceaba levemente al compás de la lluvia. "El Pirata". La leyenda me trajo sabores trasnochados, fuera de época, quizás un poco adolescentes.

El aroma del café envolvía la calle empedrada, se deslizaba a través de las gárgolas, serpenteaba en el corazón de las sombras góticas. Llovía, así que mi mano no tuvo inconveniente en empujar la cristalera del bar.

Un joven negro tecleaba en el piano un ritmo extraño que hacía latir el corazón. Un hombre viejo leía un periódico frente a un café que humeaba. Pedí uno y me acomodé. Llovía, con la insistencia del que no tiene prisa, con la lluvia de otoño que se apodera del tiempo.

Observé el suelo a grandes cuadros blancos y negros, las palmeras estratégicamente colocadas y los visillos blancos deshaciéndose en bordados de espuma. Y los cuadros. Dibujos y pinturas de mares, de barcos, de gente del mar. Le pregunté al muchacho que atendía las mesas si el bar era de algún marino, si había algo escrito sobre él, si tenían algún folleto ... en fin, esas cosas que uno pregunta en las tardes de lluvia, cuando uno va de viaje, cuando uno ha dejado, Dios sabe donde, el libro que traía para leer mientras llega la hora de coger el tren.

Pero aquella tarde lluviosa el hombre viejo, alto, erguido, que leía el periódico había levantado la vista y sonriendo bajo su bigote blanco me había dicho:

Creo que llegó al lugar adecuado. Le contaré la historia.

Sí, por cierto que la contó. Era narrador largo y prolijo. Llovieron las horas y los cafés. Era de noche cuando salí del bar. Abrí el paraguas, caminé rápidamente hacia la estación. Tocaba la mochila donde llevaba las hojas escritas. En el tren me sentí impaciente, me entretuve pensando en esas historias de cada día, de hombres y mujeres que se montan ilusiones y se inventan la vida y pasan a nuestro lado y no sabemos. Pensé que si llegaba a hacer algo con esa historia, la titularía *El puerto* o quizás, *Avatares*, o *La historia del viejo del café*... cuantas palabras existen para decorar el sufrimiento.

Al llegar a casa, arrojé la gabardina sobre una butaca, me senté frente a la vieja "Remington" y empecé a teclear mientras recordaba el ruido de la lluvia y la vieja melodía en el piano, y sin saber por qué las teclas no escribieron la palabras elegidas sino que al juntarse y deslizarse y vertebrarse y unirse escribieron "Lluvia sobre el barman".

Y ese fue el título de esta historia.

Blanca Mart

LOLA

"Se había largado". De eso no había la menor duda. Coño con la Lola. "Mira que te quiero. Mira que no voy con otro tío en lo que me queda de vida" y así, sin más, un día, se quita el delantal y se va para casa y llego y ya no está. Ni ella ni su puñetera ropa. Ni la maleta. Ni las cuatro novelas de mierda con las que siempre está jodiendo: "Que mira lo que te pierdes porque no te gusta leer, que si vieras lo interesante que ésta, muy buena, vaya", y yo como un imbécil, "que sí, mujer, que luego la leo pero ahora quiero ver el partido":

-Tontos sois los hombres con el fútbol.

-Calla, coño, que el Barça ha metido un gol.

Y así, en lugar de darle una hostia que es lo que se espera de un tío como yo, le juro que sí, amor mío, que luego leo el libro, ese que es sobre el mar y que seguro que me va a gustar. Qué carajos me importa la novela pero para que la tía esté contenta. Lola. Lola, en mi vida he vivido tres años con una mujer. Ahí viene un cliente. Y la imbécil de la Julia que no llega. A esa la despido. Ahí llega con el Ramoncito".

-Buenos días señor Juan.

3

-El metro que se paró y por eso llegamos tarde.

-No me vengáis con leches. O estáis a las ocho de la mañana en el bar o, ya os estáis largando a tomar el pelo a otro.

-Hoy tenemos mal día. Hala Ramón, atiende al señor que está en aquella mesa. Yo preparo los cafés con leche.

"Yo preparo los cafés con leche". La Lola aún no había abierto la boca y tenía la fila de vasos brillantes sobre el mostrador".

El sol entraba por las cristaleras y ella se movía entre las luces como una paloma. Así era. Así es, donde demonios esté ahora. Quién sabe si se habrá ido con otro tío. Si les encuentro les mato. O quizás ni valga la pena complicarme la vida. Mujeres tengo las que quiero. Mujeres, sí, pero no a la Lola. Ahí viene Jaime. A lo mejor sabe algo.

-Buenos días, Juan, un café con leche. Y Lola, ¿no ha venido hoy?

-Hace una semana que no viene.

-Qué, ¿está mala? ¿No esperaréis un hijo?

-Yo qué coño sé.

-¿Tú qué coño no sabes, si esperas un hijo o si está mala?

-Se ha largado. Y no quiero hablar más de este asunto.

-Pero... ¿cómo que se ha largado?

-Mira que no quiero hablar más de esto. Eres el único que lo sabe. Al que te pregunte.. pues que se fue al pueblo a ver a su madre... eso le he dicho a los empleados y no tengo por qué dar más explicaciones.

-Pero hombre, no seas animal, si su madre se murió hace un par de años... además que la Lola no te deja, ¡seguro, hombre! El día menos pensado...

-Cierra el pico. Lo hecho, hecho está; así que no estés jodiendo. El domingo por la tarde cierro, así que si quieres nos vamos con aquellas tías que te habías ligado... para que veas lo preocupado que estoy...

-Ya. El caso es que... bueno quería decirte que a esas tías las perdí de vista y yo... bueno, me pasé por aquí antes del trabajo para decirte que me he enrollado con la Reme.

-¿Con Reme?

-Pues sí, ya ves. La tía es estupenda. Bueno, la verdad es que estamos muy a gusto juntos... eso es, creo que nos casamos, tú.

-Joder, Jaime. Te ha dado fuerte.

Sí, pues ya ves, tanto hablar...

-Pues nada, enhorabuena.

-Vienes a la boda, ¿eh? Y si para entonces ya ha venido la Lola, pues también...

-La Lola que se vaya a la mierda y no me la vuelvas a nombrar. Y coge el dinero, hoy estás convidado. Saludos a Reme.

El sol sigue entrando por las cristaleras y en el ambiente fresco de la mañana, entre las sombras del café, se mueven Ramoncito y Julita. Los dos son rápidos y buenos trabajadores. Con Lola o sin ella, todo va a salir adelante; intenta sentirse optimista y sigue con sus cosas, prepara cinco cafés, dos exprés, tres cafés con leche, un carajillo, aparta el cenicero de cristal del mostrador. Ese cenicero que Lola compró y que brilla afilado en esa hora hostil y sin sentido. Luego, mira estupefacto las gotas rojas bajo sus dedos.

Y ahí está el guardia civil retirado, sentado en la barra, mirándole fijo, jugando a los detectives.

-Juan...

-¿Qué pasa?

-Vaya modales te gastas hoy. ¿Qué te pasa a ti? ¿Te has dado cuenta de que te has cortado?

-A mí no me pasa nada.

-Hay una mujer en la mesa del fondo que no te quita ojo.

-¿Y a usted, qué? No parece peligrosa.

El guardia civil jubilado se levanta.

-Allá tú. Sólo digo que empezó a venir a desayunar el primer día que tu mujer no vino.

-¿Y a usted que le importa mi vida? Lola se fue con su madre, pues buen viaje.

-Esa señora no te quitaba ojo –continuó el guardia imperturbable- y pensé: si la mujer de Juan se da cuenta cómo le mira es capaz de darle una hostia, que, vamos, no se le olvida... entonces me puse a pensar que es curioso que Lola desaparezca y que esa mujer empiece a venir todos los días...

-Usted tiene demasiado tiempo libre.

-Quizás...

-Además es normal, ya sabe usted, los marinos tenemos mucho éxito con las mujeres.

-No seas crío; bueno, me voy.

-Hasta mañana

El guardia le saluda agitando la mano, sin volverse, pero Juan sabe que se aleja sonriendo, feliz por haberle intrigado. Trabajos y tiempos de los "sin trabajo".

Pero aun así, mira a la mujer de la mesa del fondo. Está sentada a contraluz, su cabello es negro y sus ojos grises pintados de negro, vestida de negro. Muy blanca, delgada, y en sus manos elegantes un cigarrillo que la envuelve en humo azul.

Mierda, esa es zona de "no fumadores".

Y cuando se acerca a ella, siente de pronto que no le gusta, que sus ojos fríos son grises y demasiado claros y se acuerda de los ojos oscuros de Lola. Los ojos que siempre reían. Y que ya no están.

-Perdone señora. Si quiere fumar tiene que cambiarse de sitio.

Ella sonríe y también su sonrisa es fría.

No creo que a nadie le moleste. Soy la única sentada aquí. Todos sus clientes están siempre en fumadores. Pregúntele al dueño, si hay algún problema en que me acabe este cigarro.

-Yo soy el dueño.

Ella levanta una ceja con aire interrogante.

-¿Cómo está en la barra?

-Cuido mi negocio.

Y de pronto, él la encuentra muy excitante. Ese mar de los días grises, en las tempestades, midiendo la propia fuerza. La mira, se sonríe: el desafío que vuelve.

-¿Cómo se llama usted, señora? -pregunta, pues quiere saber de ella, y él es tosco y decidido y no le importa serlo, y quiere situarse, sin perder tiempo.

-¿Le parece bien preguntar eso a sus clientas?

-Mire señora, haga lo que quiera. Tengo que trabajar...- se aleja, siguiendo el juego que intuye, pues ha viajado mucho, le gusta y le divierte. El eterno juego que no cesa.

-Paula

Él se vuelve y se acerca de nuevo a la mesa.

-¿Paula?

-Sí.

-Muy bien. Bienvenida.

-No dice: "qué bonito nombre, o algo así ".

-Mire señora, no me gustan los jugueteos, pero si quiere salir conmigo, encantado: El próximo domingo. Si no quiere, le pido mil perdones por la metida de pata y continúe con su café y sus papeles o lo que sea que hace ahí...

Es la mirada. Esa mirada hecha de brumas, hecha de vientos que se levantan a deshora, esa mirada gris hecha de las tempestades que ya estaba olvidando. Y sigue, casi sin darse cuenta de lo que dice:

-Tiene usted unos ojos preciosos.

Ella los entrecierra, sabe de sobras que así queda magnífica, realizada en el misterio.

"Esta tía parece una espía de película"

-Siéntese un momento, ¿no?

Y él se sienta lentamente y hace un gesto a Ramoncín para que le traiga un ron.

Entonces la mujer le tiende las hojas en las que escribe, y él se ve dibujado en ellas.

Juan bebiendo una copa en el mostrador, Juan inclinado sonriendo a alguien -¿podría ser a Lola?, no claro, ya no estaba -, Juan vigilando el negocio, Juan apoyado en la puerta de entrada, Juan encendiendo un cigarro, el pantalón ajustado, la camiseta blanca de manga corta, el tatuaje de un ancla sobresaliendo en el brazo izquierdo, el cabello revuelto en mechas claroscuras, un arete pequeño en la oreja... Un primer plano de sus ojos, un boceto de su nuca, un bosquejo de su mano...

-Joder, esto no me lo esperaba... Me da igual, pero si quería dibujarme primero se pregunta...

-Puedo romperlas, le pregunto ahora.

Ya le está hartando la tía. Muy complicada para su gusto.

Se encoge de hombros.

-No me gusta que me dibujen, pero haga lo que quiera. Puede venir cuando le parezca, este es un lugar libre, pero si alguien se da cuenta de que le dibuja sin decírselo primero, se puede cabrear y no quiero perder clientes.

-Sólo quiero dibujarle a usted.

El hombre se levanta y se vuelve a encoger de hombros.

-Ya me ha dibujado, que tenga buen día.

-¿Y lo del domingo?

-Eso está por ver.

Los ojos grises le envuelven y siente de nuevo esa inquietud y sabe que no quiere salir con ella y también sabe que su cuerpo se rebela y observa sus largas piernas y el escote que se difumina bajo el vestido oscuro.

-Oh, -ríe ella, suavemente-, es un chico duro.

-No quiero ser maleducado... pero no me gusta que

me acorralen...

-Nadie le acorrala.

-Yo la busco.

Ella no dice nada y sonríe. Cuando se levanta, se dirige a la puerta sus pasos son largos y leves, elegantes y firmes y cuando de pronto ya no está, él se queda mirando las cristaleras abiertas, asombrado, con un regusto extraño y desagradable paseándose por su alma.

-Jefe, vaya tía que se ha ligado.

El codo de Ramoncito se clava en sus costillas.

-Tú a tu trabajo, y no te metas en lo que no te importa.

-Pero jefe, si es de película...

-Tú a lo tuyo, ¡coño! Que estáis en todo menos por el trabajo.

Fue un día largo.

Otro día más sin Lola. Mejor que se fuera acostumbrando. En su pueblo no estaba. Ya había llamado tres veces. ¿A dónde carajos habría ido?

A esa hora de la noche cerraban, se sentaban y entre los dos hacían las cuentas. Era buena la Lola para el dinero, era ahorrativa y...

-Si quieres, te ayudo, Juan.

No Julia, gracias. Ya os podéis marchar, es muy tarde, pero mañana a ver si llegáis puntuales.

-No te preocupes. Vamos, Ramón.

Y por fin, el silencio.

Está bonito el bar. Está bonito ahora por la noche. Casi a oscuras, la luz resbalando por el suelo a cuadros blanco y negro. Eso fue capricho de Lola.

"Queda como un ajedrez gigante. Está precioso". La verdad no quedó nada mal. Las mesas redondas, de mármol blanco, las patas de hierro. Cerca de la puerta, rodeadas de plantas, las tres mesas de los que juegan al dominó, luego los espacios abiertos con las mesas redondas o rectangulares y al fondo el rincón de los no fumadores; unas palmeras no muy altas rodean la zona. También eso fue idea de Lola. Y la gente está a gusto. El olor a café por las mañanas y las tardes, el olor de las tapas, los bocatas. Iba bien la cosa. ¿Y si la han secuestrado? ¿Y si llamo a la policía? Se van a morir de risa. ¿Con qué se detuvo a hacer la maleta y le dejó una nota? Vamos hombre, ésta se ha largado con otro. Y él se cabrea y les rompe los dientes y ya se lió".

Saca la nota de la cartera y la vuelve a releer.

"Juan: Te quiero. Juan, ya no nos vamos a ver más. Me tengo que ir. Que seas muy feliz.

Lola"

Pero, bueno, ¿qué significa eso?, pero ¿por qué se tiene que ir? No puedo seguir así; mañana le digo a Jaime que me ayude a buscarla. Quizás esté aún en Barcelona; no es una ciudad tan grande. Voy a acabar las cuentas; ya es la una. Maldita sea, voy a salir con la pintora y ojalá vuelva y me encuentre con ella y arme un cisco, entonces se va a enterar quién soy yo.

Imbécil, que soy un imbécil, y encima dispuesto a leer los libros y a tener hijos y a lo que a la señora le diera la gana. Si la vuelvo a ver le parto la cara. ¡Ay, Lola!

Eran cerca de las dos cuando consiguió acabar con las cuentas, cuando consiguió arrancarse de pensar en la mujer.

Fuera, la calle solitaria, las farolas brillaban levemente en las calles empedradas. La vecina de enfrente, la señora Carmeta, acababa de apagar la luz. Sus flores, siempre recién regadas, se desmayaban en el balcón.

Juan se puso la cazadora y palpó la navaja en el bolsillo de atrás del pantalón.

"Uno nunca sabe".

Bajó de un golpe la persiana enrollable. El ruido seco retumbó en la noche. Luego se agacho para poner el candado y entonces sintió una mano en su hombro.

-¿Lola?

No, no era Lola, ni siquiera una mujer. El hombre trajeado, con corbata y un bulto extraño en la sobaquera.

-¿Juan Abreu?

-¿Y usted quién es?

-No se asuste. Policía.

-¿Qué quiere?

El hombre saca su placa y se la muestra. Otro tipo se va acercando. El cabello engominado, elegante.

-¿Y ese?

-Que no se asuste, coño. Ese es Enrique Sánchez. También policía. Muéstrale la placa.

"Demasiado finos, pinta de sinvergüenzas."

-Miren, yo ya he cerrado el bar.

-Queremos hablar con usted... Queríamos venir antes... pero ya sabe como es esto.

-Vengan mañana y les atiendo...-¿y si fuera algo sobre Lola?-, o... ¿es tan urgente?

-Pues a lo mejor para usted, sí.

"La calle está solitaria y ya se sabe, cuanto más finos, más chorizos... No me fío un pelo de estos... y van armados, seguro."

-Yo no tengo ninguna urgencia. Mañana me encuentran aquí todo el día. Buenas noches

-Espere. Hemos estado investigando en el barrio.

-¿Y, qué...?

-El lunes pasado por la noche, apareció un tipo muerto cerca de aquí.

-Mala suerte.

-Sí, era un "yonqui", le conocíamos. Se llamaba Carlos Mata.

-No le conozco. ¿Se pasó?

-No. Le dieron un navajazo.

-Bueno, sí, fue mala suerte pero, ¿por qué me cuenta eso a mí?

Porque hemos estado investigando, ya se lo he dicho. Alguien vio a su mujer salir del bar, como a las nueve de la noche. Iba sola.

-¿Y qué? Es grandecita, puede ir sola a casa.

-Sí, pero parecía triste, Carlos Mata la vio, y se lo comentó a su hermano.

"Y esos qué tienen que meterse... "

-Mire, hace un rato acabamos de hablar con Roberto Mata...

-Ese está loco.

-Acaba de decir que no lo conoce.

-No. Acabo de decir que no sé quien es Carlos Mata, pero sí conozco a Roberto; es un tipo grandote, de esos ricachones, ha venido al bar algunas veces. No sabe beber, la última vez, le tuve que pedir que se fuera. No ha vuelto.

-¿No sabe entonces quién es su hermano?, él sí venía mucho por aquí...le llamaban el "Flaco"

-¿El "Flaco?

-Ese mismo... Pues para que esté al tanto, Roberto ha jurado matarle a usted...

-Joder, que lío. ¿Por qué me quiere matar a mí, por qué se lo dice a ustedes y por qué me vienen con ese cuento a las dos de la madrugada?

Los dos hombres intercambiaron una mirada.

-Díselo –dijo el engominado, haciendo un gesto elegante.

-Sí, dígame lo que sea o déjeme en paz.

-Carlos Mata está muerto de un navajazo. Según lo peritos estaba intentando violar a una mujer, la tía le cortó la yugular de un solo tajo.

-Hizo bien. Imagino que le darán un premio.

-No crea, la ley no funciona así. Pero le diré algo que le puede interesar: Roberto afirma que su hermano Carlos se fue tras una mujer alrededor de las nueve de la noche. Él jura que le aconsejó que la dejara en paz, que seguro que iba armada, que tenía malas pulgas. La señora salía de ese bar. ¿Su mujer lleva una navaja en el bolso, señor Abreu?

La calle parecía de pronto más oscura. Las farolas temblaban y algún gato gozoso maullaba a lo lejos.

" Pero, ¿qué están diciendo? Ay, Lola."

-¿Qué dicen? ¿Que mi mujer mató a ese yonqui? ¿Que el loco de su hermano la está acusando?

-No se altere, amigo. Mire, así están las cosas: Hemos dejado a Roberto en la comisaría, jurando que le va a matar. No hay ningún cargo contra él. En cuanto se haya calmado, jurará que no le va a tocar un pelo y saldrá a la calle. Usted protéjase y llévenos ahora a que hablemos cuanto antes con su mujer.

La noche se cerraba más y más.

"Ojalá estés muy lejos Lola. Ojalá nadie te encuentre".

-Mi mujer no está. Y no anden cambiando miradas. Es la verdad. El lunes se fue más pronto porque se quería ir al pueblo de una amiga al día siguiente. Yo fui por la noche a casa.

¿Y estaba?

-Claro que estaba. Tranquila y bien, no le había pasado nada y por la mañana a las siete ella se fue y yo me vine al trabajo.

-Entonces, ahora no está en su casa.

-No.

-Mañana podemos conseguir una orden de registro.

-Consíganla. A ella no le pasó nada. ¿Por qué el imbécil de Mata dice todo eso? Mi mujer se ha tomado unos días de vacaciones. Nada más. ¿Por qué nos meten en ese lío? ¿Qué están buscando?

-El policía elegante volvió a intervenir. Su voz era pausada, displicente, como dando por supuesto, que todo lo que decía era muy difícil de entender.

-Señor Abreu, de momento sólo estamos investigando. Nosotros también estamos cansados y estamos haciendo horas extras. De momento, como le estamos explicando, sólo tenemos la suposición de Roberto Mata de que Carlos le comentó algo sobre que iba a seguirla...

-Hijo de puta.

-Sí. Por supuesto, pero apareció muerto y casualmente su esposa no está.

-¿Y qué, van a detener a todas las tías que se han ido de vacaciones?

-No. Solamente vamos a investigar a las que pasaron por esta zona, alrededor de las nueve de la noche del lunes pasado.

-Saquen su jodida orden de registro. Vengan a casa cuando quieran. En cuanto ella me llame le contaré todo el asunto.

-O sea que no sabe donde está.

-Se fue con una amiga a la casa que su familia tiene por el campo.

-¿Por dónde?

-Por Valencia.

-Ya.

-Señor Abreu, creo que se equivoca –el de la voz engolada le mira con afectación-, contáctenos con su esposa lo antes posible. Ella puede estar en peligro.

-¿No sabe la dirección o el teléfono de la amiga de su esposa?

-Sí. Mi mujer la dejó en el bar, pero creo que el otro día la tiré. Estoy esperando que me llame.

Los tiempos del silencio, a veces, son largos, y los movimientos parecen deshacerse en cuadrículas lejanas, borrosas, interminables. Cuando el primer policía metió la mano en el bolsillo de su americana, Juan pensó en si le daría tiempo a sacar su navaja. Pero estaba el otro. Entonces el tipo le plantó una tarjeta bajo la nariz.

-Luis Pons. Llámeme.

-Se alejaron en la noche, dos sombras lentas, fastidiosas. Hablando entre ellos como dos amigos que salen del cine, dos compañeros del colegio que se han encontrado de repente y que, recordando, no les importa pasear a las tres de la madrugada.

Y él se sintió libre. Echó a andar sin comprender porque se sentía mejor. Paseó despacio con el alma alegre por lo mismo que otro se hubiera angustiado.

"Ay, Lola, ¿por qué no me lo dijiste? ¿No ves que yo podía ser tu coartada? O Jaime, o Reme, o cualquiera, joder, si tanta gente te quiere. O al menos, yo. Te hubiera escondido y nos hubiéramos largado donde fuera".

Al llegar a la puerta de su casa, subió las escaleras a zancadas hasta llegar a su piso. Casi nunca cogía el ascensor. Cuando estuvo dentro, echó el seguro, como siempre decía Lola que había que hacer, y se sirvió un ron. Se sentó y miró el comedor. Hacía una semana que Lola se había ido y todo estaba manga por hombro. La mujer de la limpieza había ido el miércoles. Parecía que él se había empleado a fondo en su labor de desorden.

"Mañana tengo aquí a los polis, tengo que revisarlo todo, para que no encuentren algo que pueda culparla".

Se puso a revisar ordenada y sistemáticamente. Encontró algo de ropa vieja de ella y la colgó en el armario. Un abrigo de invierno. Perfecto. Y de pronto se detuvo.

"Estoy loco. Aún no se nada y ya estoy seguro de que fue ella. Estoy tranquilo porque no es que me haya dejado, es que solamente ha matado a un hombre". ¿Qué locura es ésta? Para empezar ella no lleva ninguna navaja encima, sí, lleva una de esas cosas... un spray o yo que sé... O a lo mejor el tipo la atacó y otra persona la defendió, o fue con la misma navaja que llevaba ese cabrón, o vio como alguien le mataba y se asustó y no quiso líos o no quiso comprometerme... pero a ver, para qué coño vivimos juntos si no cuenta con que yo la ayude. En cuanto la vea le parto la cara. Quizás se asustó mucho. Quizás se asustó demasiado, pero a ver, para qué estoy yo. ¿Es que cree que soy un cabrón, que la voy a dejar si hay problemas? Si hasta estaba dispuesto a tener hijos.

Voy a encontrarte, Lola. Pero primero tengo que dormir un poco".

Se durmió un par de horas, vestido encima de la cama. Y soñó con los ojos grises de la pintora, con las tormentas grises que quería olvidar. La desazón le torturó.

Y soñó con los ojos negros y dulces de Lola, con sus ojos chispeantes como la espuma de las olas. Tuvo sueños de marinos perdidos. Inventó los besos lejanos de la mujer y sintió su cuerpo y su largo cabello castaño entre sus brazos y no supo que lloró porque estaba dormido.

LA BÚSQUEDA

L legó pronto al negocio. Sólo había dormido tres horas. Aún no eran las ocho y allí estaban clavados en la puerta la Julia y el Ramoncín. Bueno, de algo había servido cabrearse. Si Lola no aparecía tendría que pensar si le dejaba la llave a Julia. Ya llevaba ocho meses con ellos. Luego lo pensaría.

Entraron. Los vasos limpios y alineados. Las macetas con esas palmeras, frescas de luz.

"Hay que regarlas -pensó-, se ven tristes". Lola hasta les hablaba. Luego llamaría a Jaime, le explicaría el asunto; él le ayudaría a buscarla.

Cuando Agustín, el guardia jubilado, se sentó en la barra, le pareció que le miraba inquisitivo. ¿Sabría algo? Y si sabía, ¿se lo diría? Seguro que andaba metido en tramas y telarañas de domingo, en conversaciones con policías; con gente de esa especie que le intranquilizaba. Tenía que encontrar a Lola antes que ellos. Ay, él era hombre de mar, ahí sí se las sabía todas, pero aquí, aquí... -sonrió de sus lamentaciones marineras- aquí le habían parido y no en el agua, así que más valdría que empezara a pensar a que sitios podría haber ido Lola y que gente la conocía.

-Hasta sonríes hoy, Juan –dijo de pronto el guardia-. Ayer se te veía preocupado.

-Menos mal que la clientela se preocupa por mí. Unos me observan, otros me dibujan... Está bien, mientras todos paguen.

-Todos pagamos. Todos estamos a gusto aquí. Este carajillo está de muerte. ¿Todo bien?

-Sí. Todo en orden.

-Bueno, yo ya me voy. Cuando quieras algo, me avisas.

-Gracias. Cuento con eso.

"¿Qué habrá querido decir?, ya me está jodiendo ese viejo. Voy a llamar a Jaime para que venga a comer aquí".

Jaime llegó a las dos en punto. Se sentaron en una mesa y se pusieron hasta atrás,

de tapas y cerveza. Cuando se enteró de todo se quedó pensativo.

-Bueno, mira, anoche Lola le habló a Reme...

-¿Por qué no me llamaste enseguida?

-Te estuvimos llamando a las doce, a la una, a las dos y no aparecías...Te iba a llamar esta mañana y me llamaste tú, además no quería hablar nada desde el trabajo. A ver en que líos se ha metido tu mujer, estuvo llorando por teléfono y le contó a Reme que, bueno, que tenía un problema muy grande y que no te lo quería decir para que no sufrieras...

Sintió aquel calorcillo en el pecho.

"Entonces no se había ido con otro. Entonces quería seguir con él".

"Sintió aquella oleada que le envolvía cuando estaba cerca de ella. Recordó su cintura, sus piernas rodeándole. Recordó muchas cosas más".

-Pero es imbécil –dijo- ¿por qué no me llama? ¿Qué cree, que soy un maricón que se va a asustar? ¡Que me llame, coño!

-Escucha, cabrón, que no me dejas hablar. Calma, tío.

Escucha. Han quedado en verse, estoy seguro.

-¿Cómo qué estás seguro? ¿No te lo dijo la Reme?

-No. Se hizo la disimulada, y me largó que la volvería a llamar y que entonces quedarían para verse. Pero ya sabes como son las mujeres...

-Me cago.

-Escucha, estoy seguro que han quedado en verse hoy por la tarde. No sé donde, pero te vas al trabajo de la Reme y la sigues. Ya sabes que sale a las cinco. Me dijo, como a lo tonto, que a lo mejor se iba a comprar algunas cosas y que llegaría tarde. Vamos, la Reme, no va a la compra entre semana ni aunque la maten.

-Llama ahora al trabajo.

-La voy a poner sobre aviso.

-Que no, coño, que tengo un presentimiento.

-Vale, llamo para que te quedes tranquilo; va a ser peor.

Fue peor. Reme no había ido a trabajar.

-No, no está. Llamó que no podía venir. Está indispuesta. ¿Quién llama?

-Cuelga el teléfono.

Los dos se miraron en silencio.

-¿Y ahora, qué?

-Ahora me voy a tu casa a esperar que llegue Reme y que me cuente.

-No. Ella es libre de decir lo que le de la gana.

-Pero Jaime, coño.

-Que no, déjame pensar. ¿Para qué se ha tomado todo el día libre? ¿Todo el día para hablar de lo que sea? Pues sí que tienen cuerda. No, éstas se han ido de Barcelona. Lola está fuera. Eso es: llamaba de larga distancia, ahora estoy seguro.

-Pues estamos listos...

-¿Has ido a tu casa de Malgrat?

-¿A mi casa de Malgrat? Pues claro que no. ¿A qué coño iba a ir ahí? No hay teléfono... no hay...

-Justo. Ideal para ir a sufrir un rato. Se enfada o se asusta o mata al tipo ese que dices...

-Calla animal.

-Está bien, está bien; tiene el problema que sea y se larga a la casa solitaria. Sólo ella y el mar ¿me sigues? Si es que no tienes imaginación, Juan, por Dios...

-Venga, que tú te traes un rollo... Yo me voy a Malgrat... por si acaso... oye, ¿y Pepe?

-¿Qué Pepe?

-Pepe, el que conduce trenes. Esta semana le tocaba esa línea, ¿y si la ha visto?

El periodista se sonríe.

-Ahora sí le has echado imaginación. Pues tendría que ser una casualidad de cojones, pero vamos a llamarle, no perdemos nada.... Ojalá no esté en casa, ojalá esté en el tren, ojalá...

-Marca.

-¿Diga?

-¿Está Pepe?

-Yo mismo.

-Cojones, Pepe, ¿qué coño haces en casa?

-Bueno, tú, ¿qué te pasa, Juan? Que no me he casado, voy y vengo cuando quiero.

-Perdona, tío, es que ando algo nervioso.

-Ya lo veo.

Es que queríamos saber si Lola y Reme habían ido a Malgrat hoy y si tú estabas en el tren y si...

-Oye, no. Hoy me tocaba descanso, que me pasé la semana pasada para arriba y para abajo y ya está bien. Pasado mañana salgo otra vez.

-Está bien. A ver cuando te vienes a tomar un cafecito.

-Mañana me paso por el bar.

-Aquí está Jaime.

-Hombre, qué bien. Salúdalo, a ver si mañana nos vemos.

-Hecho.

Se miraron de nuevo.

-Estamos haciendo idioteces. Me voy para la casa de Malgrat a ver si de casualidad las tías se descolgaron por allí: pero atornilla a la Reme, hombre, mira que puede ser un asunto muy feo.

-La verdad, la Lola o se larga del país o le buscamos un abogado.

-Pero si aún no sabemos nada.

-Señor Juan, le llaman por teléfono, ¿está?

-Claro que estoy, Ramón, voy. Estos días estoy para quien sea, ¿está claro? ¿Diga?

-Oye Juan, que se me había olvidado...

-Ah, hola Pepe, ¿qué hay?

-Que dile a Lola que se le cayó el pañuelo, de esos del cuello que usan las mujeres, pero que yo lo recogí y se lo he guardado, que me di cuenta cuando ya se había ido pero que...

Pero... pero... pero Pepe, por Dios, que estás diciendo, ¿cuando la viste? ¿qué historia es esa del pañuelo? Que cojones...

Oye tú... ¿pero hoy estás loco o qué? A ver qué estás pensando, que los marinos siempre andáis mal de la chola, ¿eh?

-Pero espera, espera; mira, no te cabrées, es que esto es muy grave. Escúchame, Pepe, por Dios.

-Pues di que pasa y no andes tocando los cojones que hoy estás muy raro...

-Sólo quiero saber cuando y donde viste a Lola y mañana te vienes y cenamos aquí y te lo explico todo porque estoy en un lío que no sé ni para donde tirar... Aquí está Jaime...

-Si ya sé que ahí está Jaime, ya me lo has dicho antes. Escucha: El martes pasado pude estar un rato en Malgrat, al anochecer vi a Lola paseando por la playa. Estaba con muy mala cara, la verdad, tío. Le pregunté por ti y me explicó que estabas bien, que ella sólo había ido a ver a unas personas que querían alquilar la casita para el verano, pero que ya se iba. "Me voy a la estación" –me dijo- "Yo me quedo un rato por aquí", le contesté, "saludos a Juan". Dijo que sí, pero la verdad pensé que habíais tenido alguna bronca y vi que se iba hacia la estación. Me quedé un rato en la playa y entonces vi un pañuelo marrón y blanco en el suelo; creo que lo llevaba ella, así que lo guardé. A ver si ahora he metido la pata y es peor...

-No, no, no... Te lo juro Pepe, gracias. Vente mañana a cenar y te explico todo.

Jaime le miraba interrogante.

-¿Vas a Malgrat?

-Sí. El martes ella estuvo allí.

Te lo dije, tío. La vas a encontrar.

Por primera vez le dejó las llaves del bar a Julia. Ella sonrió satisfecha.

-Gracias por la confianza.

Un pestañeo. Un pestañeo breve y esa sonrisa.

"Uy, uy, uy, ésta se está lanzando".

-Oye Julia...

-Sí, Juan... (otro pestañeo de los ojos azules...)

-¿No vino la pintora hoy? Ya sabes, la que va de negro...

Y una sombra cubre los ojos color cielo.

-Sí. Sí vino. Ella viene por las mañanas. Estuvo un buen rato. Se tomó tres cafés con leche, dos croissants, no sé como está tan flaca... ¿No la viste?

-No me fijé. Estuvo muy lleno.

-Venía con un "moreno".

-Ah, ¿sí? –sonríe mientras acaba de guardar unas notas.

-Sí. Era un negro muy guapo, la verdad. Ella lo estaba dibujando.

-Es su trabajo. Me tengo que ir Julia. Te quedas a cargo

del changarro. Mañana hacemos cuentas. Ah, te daré algo más.

-No te preocupes. (El pestañeo y la sonrisa).

Y él sale disparado detrás de Jaime.

-La Julita te está poniendo unos ojos...

-Pues sí. Pero como vuelva la Lola y se de cuenta, le da una patada en el culo y la pone en la calle y es lástima porque trabaja bien.

-Y además está bien buena.

-Joder con los periodistas... no os perdéis una... hasta mañana Jaime.

-Suerte.

MALGRAT

"Suerte. De momento hoy no vinieron los polis. De momento ya sabe donde estuvo ella el martes pasado. Aquella noche la Lola se había ido del bar hecha una verdadera furia. Había salido otra vez el temita de lo del SIDA. ¡Que genio tenía la condenada! Hacía un mes que le habían hecho una trasfusión de sangre a Jaime. Yo le había dado sangre. A ver que coño de explicaciones tenía que haber dado de eso. Claro, los del hospital me habían hecho la prueba esa y había salido negativo. Pues eso era para alegrarse. Pues no. Pues va la tía, encuentra el papel, dice que por qué no le he dicho nada y que quién demonios está interesada (y dijo interesada) en saber si yo tengo SIDA, o no. A ver si es que ella está de imbécil y no se entera de nada y mira que *los tiene así*, - los admiradores, supongo- y que ya han pasado quince días de eso y alguien comenta algo del SIDA, la tía se acuerda y la vuelve a armar, la mando al carajo y dice *me voy*".

Bueno, "me voy", quiere decir eso y no "salgo para siempre de tu vida y además ni me despido". Es que a las tías no hay quien las entienda. Y lo de que todas son iguales, pues no, porque cada una te viene con una leche diferente y se lo montan de miedo para complicarte la vida. Vamos... que me tienen harto, en cuanto encuentre a la Lola, la dejo... Sí... la voy a dejar... ni yo me lo creo... Un bocazas, eso es lo que soy, un bocazas... si hasta soy capaz de no ver el partido si empieza a darse aire sentada en la ventana. Claro que se da aire con la falda levantada y suspiro va, y suspiro viene. "Tontos sois los hombres con el fútbol..". Y este tren del carajo que va a diez por hora.

El tren está casi vacío y a Juan el árbol le parece el mismo árbol y el mar arroja siempre la misma ola sobre la arena fina. Fuma y apaga el cigarro cuando le llaman la atención, se asoma a la ventana y se revuelve para aquí y para allá como un gato.

Casi no lo cree. Ya ha llegado. Cómo no se le ocurrió antes. Cómo no se le ocurrió que ella iría a la casa. Salta del tren y corre como un loco. Sube por la avenida y tuerce a la izquierda tres calles más allá. ¿Tan lejos estaban de la estación? Por fin, llega. La calle pequeña, empedrada. La farola apagada pero allá hay luz en una ventana.

Suerte. Suerte, le dijo Jaime. Abre la puerta silenciosamente, siente como el corazón le late, está de nuevo en alta mar, la tierra es de espuma, todo se mueve y el sol ha muerto. Suerte. Soledad.

-Lola.

Un ruido en la habitación.

-Lola, amor mío, –no quiere asustarla.

La mujer sale de la habitación. Tiene como setenta años y le mira asombrada.

-Señora Monserrat.

-Buenas noches. Su mujer se fue ayer. Me dejó la llave para que acabara de arreglar las cosas.

-¿Hoy no ha estado aquí?

-No. Ayer me encargó que le diera estos teléfonos, si usted venía. Son de una familia alemana que quiere alquilar la casa para el verano. Buena gente y parece que pagan bien. La quieren de Junio a Octubre... oiga, ¿se encuentra mal? ¿Le ha pasado algo a la señora Dolores?

Él rechina los dientes.

-No, no le ha pasado nada. ¿Le dijo a dónde iba?

A Palamós, a casa de su prima.

"Y una mierda. No tiene una prima en Palamós".

-¿Le dio la dirección?

-No. Sólo me dijo eso.

-¿Algún teléfono?

-No... –la mujer le mira dudosa-, ¿pasa algo, se encuentra mal señor Juan? ¿Quiere que llame al médico?

Él coge aire, y luego pasa un brazo por los hombros de la anciana acompañándola a la puerta.

-No se preocupe. Estoy bien. ¿Le debo algo?

-No gracias. Ya me pagó la señora Dolores.

-Buenas noches.

Vuelta a esperar. Se sienta en el borde de la cama y saca un cigarro, lo enciende y lo apaga. Se acerca a la ventana. Desde allí se oye el mar. Allí le ha hecho el amor a la Lola. Allí ha hecho el amor con la Lola.

Se vuelve, se tumba en la cama y entonces ve un sobre cerrado sobre la almohada.

"Para JUAN ABREU".

Su nombre: todas las letras con mayúsculas.

Es su letra. Lo rompe. Lo abre. Se desespera en el gesto, en la mirada que busca.

"Juan: Por si vienes aquí, te dejo esta nota. Te quiero, Juan, pero me tengo que ir. Nunca más volveré. Te quiero".

Lola

"Nunca más volveré", y eso que la tía no ve telenovelas que si las llega a ver... ¿se ha vuelto loca o qué? ¿Ha matado a ese tío? ¿Se defendió? Hizo bien. Mañana busco a un abogado por si las moscas, que un día de estos la encuentran, no vaya a ser que la metan en un buen lío si no hay quien la defienda; que no esté sola. Bueno, eso es lo que tengo que hacer; buscarle un buen abogado... ¿Y si me voy a Palamós? ¿Y qué coño hago allí? ¿Me pongo a llamarla a gritos, a decirle que está ahí el loco del bar, sí, hombre, el marino, ese tipo con el que vivías, el loco del pueblo, que está buscando la casa de tu prima...? ¡Qué carajos! Tenías que habérmelo dicho, así no hay forma de arreglar nada. Voy abajo, voy a buscar una cabina y llamar a casa de Jaime".

-Jaime, soy Juan. No, aquí no está. ¿Ha llegado Reme? ¿Qué te ha dicho? Sí, sí, pásamela.

-¿Reme?

-¿Cómo que no se presentó? ¿Dónde habíais quedado? ¿En el puerto? ¿Y por qué ahí? Porque el mar la tranquiliza. Ya. ¿Cuánto rato la esperaste? Todo el día. ¡Anda, ya! Espera, no te cabrées, no me cuelgues. Espera mujer. Sí. Sí te creo. Es que estoy desesperado, es que no sabes en que lío está esta mujer. Sí. ¿Por qué lloras? Que hace un rato te ha hablado a tu casa y ¿qué dice? Que es algo muy serio lo que pasa; pues mira, yo creo que eso lo sabe ya toda Barcelona. Espera, no te enfades. Es que no puedo estar así. Si te llama dile que me llame al bar o por la noche a casa, que la voy a proteger, que la voy a ayudar. No llores a gritos, coño.

"Me ha colgado la tía".

-Jaime, que tu mujer me ha dejado a medias.

-Mira, Juan, está muy alterada.

-No me digas.

-Y tú también estás descontrolado, así que mira, si queremos ayudar a tu mujer ya podemos empezar a calmarnos, ¿vale?

-Vale, vale.

-Mira, Reme me cuenta que no se presentó, que la estuvo esperando todo el día.

-Sí, dime.

-Hace un rato la llamó aquí a casa, le dijo que la quería mucho, que era muy buena amiga, que la vio esperándola, pero no quiso acercarse porque comprendió que la comprometía.

-Me cago en la hostia.

-Escucha: está viva, ¿no? Sólo está muy alterada. Quédate a dormir en Malgrat. En cuanto llegues a Barcelona me llamas al trabajo. Hay que enfrentar las cosas, creo que tendríamos que hablar con un abogado.

-Sí, ya lo he pensado.

-Tenemos que esperar a que nos llame tu mujer, a ti, o a Reme, contratar a un tipo de esos, un detective que sea discreto y que no vaya a ir con el cuento a la policía antes de que nos convenga. ¿Estamos?

-Sí. Lo del abogado me parece bien. Lo del detective lo hablamos mañana, no quiero que se asuste.

-Mañana lo hablamos. Que te intenten violar y matar a un tío no es cosa de todos los días, así que es normal lo que le está pasando, otra hubiera hecho una barbaridad. Ella sólo se está escondiendo porque está asustada y además no nos quiere comprometer. Es una buena mujer. Así que tranquilo, vete a dormir y mañana nos vemos.

-Gracias Jaime. Oye...

-¿Qué?

-A lo mejor no ha matado a nadie. Eso no es seguro.

-No, no es seguro. Pero mejor tener un abogado preparado por si acaso.

-Eso sí. Gracias Jaime. Y a tu mujer dile que gracias y en fin...

-Que sí, hombre. No te preocupes. Hasta mañana.

Salió de la cabina y encendió un cigarro, -¿Y, ahora qué hago?-. Empezaba a chispear, se detuvo un momento, mirando esa lluvia tenue y delicada que limpiaba la arena, las pocas personas de paseos nocturnales se alejaban con prisa, un perro dormitaba al lado de una barca, las farolas iluminaban los colores del silencio y de las olas. Por allí había paseado con Lola, se habían sentado en cualquier banco mirando el mar. Ese mar que ya no le llamaba porque él había encontrado un buen puerto.

"Y aquí estoy, haciendo el imbécil detrás de la única mujer que me ha amarrado. En cuanto la vea le doy una hostia para que se entere de una puñetera vez. ¡Que le voy a dar, que le voy a dar…! O sea que hoy estaba en Barcelona, cerca del puerto, cerca del bar. La podía haber visto si hubiera salido. Que importa, eso ya no ha pasado, para qué darle más vueltas. Me voy a dormir. A lo mejor no es mala idea lo del detective, pero estos tipos me preocupan, deben ser unos chorizos de mucho cuidado. Si hubiera dejado una agenda, un directorio, quizás en el teléfono del bar esté apuntado el teléfono de alguna amiga suya, mañana buscaré. Está empezando a llover, ¡qué me importa mojarme!, cuantas veces me he mojado en el mar y me gustaba, cuantas veces me empapaban las olas y me daba igual, no te dabas ni cuenta, y estabas empapado. Y aquí en tierra, corres a meterte debajo de un paraguas. ¡Qué me importa la lluvia, qué me importa!

Subió despacio la cuesta empedrada hacia su casa. La casa desde la que se oía el mar, desde la que se veía el mar. Entró y se quitó despacio la ropa mojada, la estiró sobre unas sillas y se metió desnudo en la cama. Apagó la luz y se sintió cansado; cansado y sin sueño. La luna entraba a través de los visillos de bordados blancos que la Lola había puesto y se acordó de ella y no se quiso dormir.

Cruzó las manos bajo su nuca.

"Cuando se sentaba en la ventana y se daba aire. Demonios, es que la Lola no se abanicaba con un abanico como todo el mundo. No, ella se abanicaba con la falda y decía, "qué barbaridad, qué calor" y a veces, le miraba por el rabillo del ojo y él se ponía nervioso y los dos sabían como acababa la fiesta".

Pero que no hubiera confiado en él. Se lo diría cuando la viera. No, mejor se lo diría cuando hubiera pasado un tiempo. Quizás el otro año. O nunca.

Afuera llovía y a Juan le hubiera dado lo mismo estar o no cubierto. Cada gota parecía caer sobre su piel y le empapaba el alma, y por primera vez en su vida sintió el silencio.

DESORDEN

Madrugó mucho. Un amanecer más. El mar entre gris y azul, enmarcando la mañana fresca. Los bares estarían cerrados así que preparó un café negro, caliente, como sólo él los sabía preparar. Se lo tomó despacio, saboreándolo -ese ritual iniciático-, luego se metió bajo el agua helada de la ducha. Nadie se había acordado de encender el calentador de gas.

¿Y quién coño se iba a acordar?

No importaba, mejor así. Empezaba a ser parte del rito: el café negro, el agua helada, la decisión de iniciar una cacería. La rutina de pronto resplandeciente y necesaria frente al caos.

El desorden, el caos, el absurdo de su huida.

Cuando llegó a Barcelona, fue directo al bar.

"El Pirata". Vaya nombrecito para un negocio. Se le había ocurrido a la Lola y a él le había parecido bien. "El Pirata". Mira que era imaginativa la tía. "En tu honor" -le había dicho-. Y habían juntado la "pela" que tenían y lo habían puesto. "En tu honor". Como si él hubiese sido un pirata y no un simple marinero. ¿Y cómo le pondría a sus hijos? ¿Los hijos del pirata? Porque era capaz... El había sido marino y ahora, ¿qué era? un idiota buscando a una tía que no tenía nada mejor que hacer que rajarle la yugular a un yonqui.

Pero había que reconocer que el bar estaba muy bien.

La Julita le recibió con una sonrisa esplendorosa, los ojos claros envueltos en una neblina extraña.

-¿Todo en orden, Julita?

-Sí. Todo bien, ¿quieres que pasemos cuentas?

-Ahora no. Por la noche. Vigila a Ramoncín, que ese se pone a hacer el vago.

La pintora en su rincón dibujando pausadamente, atenta a un hombre negro que fingía leer algo con aire indiferente. Unos oficinistas tomando sus cafés con leche, unos diez turistas riendo bajo y cloqueando felices. Todo en orden, y buena clientela ya por la mañana.

Pero él quería hablar con alguien especial. Se situó detrás de la barra y esperó que la puerta de cristal se abriera. El corazón le dio un vuelco. Una mujer de cabello largo, castaño oscuro, entró con un hombre. No, ni se parecía a la Lola. Se preparó otro café con leche y se comió un par de croissants.

"Siempre llega pronto y hoy, cómo tarda el condenado".

En cuanto le vio acercarse, le saludó. El guardia civil se acomodó mirándole ¿quizás interrogante?

-Buenos días, Don Agustín.

El hombre levantó una ceja.

-¿Buenos días, Don Agustín? Tanta amabilidad me deja trastornado.

-Pues estoy empezando, porque le voy a convidar el carajillo.

El movimiento de ceja se hizo más pronunciado.

-¿En qué puedo servirte? Porque vamos, así de repente... En tres años no has pasado de "buenos días" y...

-Tengo un problema.

-Ya lo sé.

-¿Cómo que lo sabe?

-Coño, Juan, lo sabe todo el barrio. La Lola ha desaparecido desde la noche que mataron al yonqui ese, Carlos Mata, el Flaco.

-Eso no quiere decir que haya sido ella.

-Exactamente. Y yo no lo he dicho. Ni lo diré hasta que todo esté claro como el agua.

-Entonces... yo no sé por qué cojones se está armando tanto alboroto.

-Porque mucha gente la vio salir del bar a la misma hora y por el mismo sitio que se fue el yonqui... y...

-¡Y qué! También un autocar de turistas andaba por la zona ese día y a todas horas.

-No te preocupes por eso, ya están interrogando a todos los autobuses que pasearon turistas por aquí. Pero para que te vayas enterando, existe una cosa que se llama pruebas circunstanciales, cir-cuns-tan-cia-les... ¿comprendes?

La voz del anciano sonó áspera y clara, viejo cristal castellano.

Juan le miró.

-No juegue conmigo. Dígame si sabe algo. Piense en la Lola, es una buena mujer. ¿Es que estamos como antes? ¿La policía persiguiendo gente inocente?

-¡Alto ahí! No me hagas el panfleto político porque la jodemos.

-Bueno, dejemos eso. ¿Qué hago?

-Mirar. No hables tanto, que te has tirado tres años callado y ahora parece que te dan cuerda.

-Ayúdeme, Don Agustín.

-Vamos por partes: ¿ayudarte a qué?

-Primero, a encontrar a la Lola.

-O sea que no sabes donde está.

-Ni idea.

-Un punto en contra. El marido no lo sabe o la está encubriendo. Ahora bien, si la policía la está buscando, la encontrará. Es una buena mujer, no tiene experiencia en estas cosas... la encontrará. Otra cosa sería si fuera un chorizo rico, esos... no me gusta decirlo pero es más duro pescarlos, siempre tienen de donde agarrarse.

-Me importa una mierda eso de los chorizos ricos. Eso lo sabemos todos. Ayúdeme a encontrarla sin que la policía lo sepa. Tengo que hablar con ella.

-¿Quieres que la encuentre, como si yo fuera tu cómplice?

-No, quiero contratarle como detective privado.

Una sonrisa aleteó en los ojos duros del jubilado.

-No soy detective. No tengo licencia. Y no te voy a aceptar dinero, no me puedes contratar.

-Entonces... ¿no nos quiere ayudar?

-Alto ahí. Yo no he dicho eso –se atusó el bigote suavemente - pero me sorprende que me pidas ayuda, tenía la sensación de que no me valorabas tanto. ¿Quieres que te ayude porque fui guardia civil y tengo conocidos?

-También por eso, pero sobre todo porque usted mira. Se sienta ahí, sonríe y sus ojos registran todo. Usted sabe todo lo que pasa aquí, lo que pasa en el barrio, usted...

-Mira, calla, y no te metas a conferencista, es un consejo. Te voy a decir algo. El día que abristeis el bar yo fui el primer cliente y Lola me dijo: "Usted nos va a traer suerte". Y no me quiso cobrar. Me he sentido aquí como en mi casa. Aún mejor, porque vivo solo y por las mañanas cuando me levanto, me arreglo y pienso, "me voy al café", que no es por nada, pero mira que ponerle "El Pirata"... Desayuno, me voy, regreso, juego al dominó por las tardes, leo el periódico, miro, escucho, hablo y pienso que la vida es muy distraída y que vale la pena... No pongas esa cara de atontado porque os voy a ayudar, así que desde ahora somos colegas y que Dios nos proteja.

-Gracias, yo...

-Tú escúchame, marinero, que ahora estamos en tierra. Ahora, lo primero es ponerte en antecedentes. Ayer no estuviste por la tarde.

-Vaya noticia me da usted.

-Calmado. Antes de cerrar, vinieron dos polis.

-¡Maldita sea! ¿uno calvo y otro muy repeinado?

-Sí. Muy peripuestos. Hablaron mucho rato con Julita. Ella se alteró bastante. Primero se encogió de hombros, luego se puso muy nerviosa. Se metieron en la cocina, así que le dije a Ramoncín, "déjame que me pase al otro lado de la barra y yo me preparo un carajillo, porque no estando aquí la señora, nadie lo sabe hacer". No se atrevió a contradecirme y me coloqué cerca de la puerta. Apenas pude oír nada, pero ella hacía como si buscara cosas de Lola y al fin, les entregó una agenda. Cuando salieron yo ya estaba tomando lo mío y leyendo el periódico.

-Entonces...

-Entonces, lo primero en cuanto pase todo, despide al Ramoncín que es un vaina y que no tenía que haberme dejado mangonear tu barra.

-Eso se puede ver, pero nos convino.

-Sí, pero ya me entiendes... Bueno, a lo nuestro. Yo me voy ahora a enterarme quiénes son estos dos pimpollos y qué saben y de quién más sospechan. Tú atornilla a Julita y que cante todo. Lo de la agenda no se lo comentes hasta el final. Luego busca a ver si hay otra agenda aquí o en tu casa. Necesitamos saber a qué gente conoce, a toda, la más lejana. Dos: Cuéntame ahora, rápido, como fue la última vez que hablaste con tu mujer. Todo. Hasta la cosa que te parezca más simple. Y si luego te acuerdas de algo, me lo cuentas mañana.

Dos tazas de café más tarde, el guardia civil se levantó despacio.

-Vamos a buscar a un abogado que no te robe mucho y que sepa defender un caso de homicidio involuntario, legítima defensa y pamplinas de esas. Tú, con esos amigos tuyos, el periodista y el de los trenes, ya podéis ir buscando un picapleitos. Si lo necesitamos nos quedaremos el menos malo. Mañana vengo como siempre y no me andes llamando porque en tu vida me has llamado y no quiero que la cosa se líe más.

-Hasta mañana entonces, Don Agustín.

La cristalera se cerró tras la espalda estirada del viejo, su paso rápido y firme se perdió en la luz que saltaba en las macetas y en el bar lleno de gente, el silencio rodeó a Juan.

-¡Señor Juan, el teléfono!

-Voy.

"Tengo que llamar a Jaime, ojalá sea él, ojalá sepa algo"

-¿Juan?

-¿Lola?

-Juan, escúchame.

Apretó con fuerza el auricular, sintió el corazón latiendo furioso, su cuerpo tenso. Sí. Era esa voz, era su voz.

-¿Lola? – repitió.

-Juan, ya me he despedido no sé cuantas veces de ti. Esta es la última. No me busques, estoy en un lío muy grande, estoy asustada ahora, pero sólo es cuestión de pensar, luego me calmaré, pero me tengo que ir y no podremos vernos.

-Escucha Lola, tenemos que hablar, donde sea, donde tú digas, voy y hablamos todo, sea lo que sea, yo te ayudo. Si cuando todo esto se arregle quieres tener hijos, adelante. Como si quieres seis. El bar muy bien, todo va bien, compraremos el dichoso piano aquel que querías, ¿te acuerdas? No te preocupes de nada, mujer.

La oía llorar y reír.

-¿Donde estás, Lola?

-Juan, ya he hablado contigo, quería decirte que

estoy bien, que no me busques, que te amo y no quiero complicarte la vida...

-Me la compliqué el día que te besé.

"Que te besé y lo demás", pensó y cogió con fuerza el teléfono como si ella pudiera aparecer de pronto a través de su propia voz.

-Lola, ¿donde nos vemos?

-Adiós, Juan. Esto se pone más difícil. Haz tu vida. Te quiero. Haz tu vida, no te pongas furioso...

-¡Lola! ¿Lola?

No podía ser. No podía ser y había sido. Primero desaparece; ésta no se da cuenta de que la van acusar de asesinato. Se vuelve loco buscándola, por fin le llama ella por teléfono y vuelve a desaparecer.

Dio un golpe en el mostrador.

-Juan, vas a romper el auricular.

La voz suave de Julita, sus ojos claros, mirándole horrorizada.

-¿Y a ti qué te importa? ¿O es qué no hay nada qué hacer?

Y se relaja cuando la ve alejarse rápida y enfadada. Y se queda mirando el cable, el teléfono negro que tanto le gustaba a Lola y lo cuelga despacio, midiendo su angustia en centímetros y su soledad en la cercanía de la voz de una mujer.

Luego mira a la clientela. Nada, cada quien a lo suyo. Va a tener que contratar a otro muchacho. Hay mucho trabajo. Luego verá eso, primero hay que llamar a Jaime.

-Jaime, soy Juan, ¿sabes algo?

-Maldita sea. ¿Es que te pasas el día colgado del teléfono? Lola está en la estación de Malgrat; me acaba de llamar Pepe. Paso a buscarte y te llevo en mi coche, ¿estamos? Luego te cuento, en diez minutos estoy ahí.

En diez minutos estaba ahí.

La Julia de morros.

-No, si sí me quedo a cargo otra vez. No, si a mí qué

me importa, total... Sí, me quedo las llaves, vale, mañana hacemos las cuentas. Sí, está bien, luego vienes, claro... A las diez cierro. No me puedo quedar más, eso sí que no, más tarde no, mira lo que le pasó a tu mujer. ¿Y yo qué se? Pues mira, a lo mejor más de lo que crees... Mira ahí te busca Jaime... Adiós...

-Adios, Julia, luego hablamos.

"Claro, ahora está cabreada, pero de que era profesional, lo era, ni loco se creía que fuera a cerrar el bar, ya la iba conociendo; tendría que soltarle unas pelas extras. La verdad, se lo ganaba. A ver que dice la Lola porque si está en Malgrat hoy ya no se le escapa".

-Eh, Jaime...

-Vamos.

-Ahora no creo que haya tráfico. ¿Qué ha pasado?

-Me llamó Pepe muy agitado, habíamos quedado en vernos para cenar pero estaba en Masnou y no podía venir, además vio a la Lola en la ventanilla en la estación de Malgrat, estaba seguro que era ella, pero él iba en el tren y ya no pudo hacer nada.

-Me cago...

-Pero ¿qué querías, hombre? ¿Que se tirara del tren en marcha? Además, aunque Pepe hubiera estado en la estación, ¿tú crees que Lola se esperaría a que tú llegues? ¡Pues si está huyendo! Menuda la hubiera armado. Hizo lo que pudo. Ahora ya depende de la suerte, hasta ahora hemos tenido mucha, porque a tu mujer no le ha dado por irse de esta zona. Además Pepe aún no sabe lo que está pasando. Debe pensar que habéis cogido un cabreo y ya. Bastante ha hecho.

-Vale, vale, ojalá la encontremos. ¿Sabes que ayer por la tarde fue la policía al bar?

-¡Hostia!

-Sí. Si yo consigo hablar con ella, le diré que ya he pensado donde tiene que esconderse. No te lo digo ni a ti, ¿vale?

-Vale. Cuánto menos gente lo sepa, mejor. Ah, ya he hablado con un abogado, bueno, es una mujer, abogada. Tiene fama de muy buena y no nos cobrará demasiado, pero querrá hablar con ella.

-¿Es segura?

-Si quieres decir, si no la va a denunciar, ese no es su trabajo, pero de momento no hay nada en firme contra tu mujer, ahora que si vuelve a tu casa ... no sea que primero la encierren y luego pregunten y con eso ya le joden bastante la vida.

-Yo he hablado con el guardia civil. Dice que nos ayudará.

-¿Don Agustín?

-Ese mismo.

-Ese es un zorro viejo. ¡Cómo no se me ocurrió! Ahí está la estación, baja, corre, ahora te alcanzo, está saliendo un tren...

Estaba saliendo un tren, pero no debía ser el que ella quería coger, porque estaba allí de pie con el bolso colgado de un hombro y una pequeña maleta en la mano. Un gesto perdido, un cierto aire de desesperanza.

No la llamó, no quería que se fuera, no quería que escapara de él. Estaba tan cerca, cinco metros y ya. Lola.

Se acercaba despacio cuando la mano de Jaime aferró su hombro.

-Ni la saludes, ni te vuelvas, detrás de nosotros están dos tipos, parecen polis, uno calvo, otro...

A pesar de todo se volvió lentamente. Eran ellos. También se acercaban despacio, las manos en los bolsillos con aire de buenos chicos. Un par de gilipollas buenos chicos.

Entonces a ella se le resbaló el pañuelo que llevaba al cuello. Siempre se le caía. Se agachó a recogerlo y le vio.

-Son policías -dijo él, señalando hacia atrás, y lo dijo en un tono casual, casi sin mirarla, como si le estuviera

41

hablando al viento.

Y de pronto ella estaba en el tren en marcha,

-Nunca me volverás a ver, Juan. Nunca.

Y él no supo como ella lo había dicho tan bajo y sin embargo lo había oído.

El tren se alejó, y un momento después, los cuatro hombres miraban el pañuelo blanco y azul desmayado en el suelo.

-¿De quién huye - preguntó el engominado – de nosotros o de usted?

-¿A quién se refiere?

-No se haga el listo. Su mujer está huyendo.

-Son peleas nuestras. Eso ¿a quién le importa?

-No se haga el listo -insistió el engominado- voy a hablar a la próxima estación, ahí le pedirán que venga a declarar, si se resiste, la detendrán. Es sospechosa de asesinato. Y si no hubiéramos visto que no quiere saber nada de usted, podríamos deducir que la está encubriendo.

-¿Encubriendo? ¿Y si yo maté al tipo? Según ustedes, la siguió y la molestó, a lo mejor salí...

-Muy admirable, muy romántico –suspiró el calvo- pero usted tiene todas las coartadas del mundo, todos los testigos necesarios que afirman que esa noche, la del crimen, usted salió muy tarde del bar... no tuvo oportunidad.

-Tómese un descanso señor Abreu, le tendremos al tanto. Deje esto en nuestras manos.

Se alejaron de nuevo, lentamente, como si la pieza ya estuviera cobrada. Entonces, ¿para qué correr?

Sí, ¿para que correr? La pieza estaba asegurada.

Pero un conato de incendio obligó a detener el tren. Fue una falsa alarma al fin y al cabo, pero los ancianos del grupo excursionista protestaron indignados, diciendo que siempre les tocaba a ellos. Muchas personas se bajaron, algunas se fueron casi a campo traviesa. "*No hubo desgracias personales*", dijeron al otro día los periódicos, y dos tipos elegantes se miraron perplejos, en la estación de Blanes, la misma tarde del suceso.

-Esta tía tiene una suerte.

-O lo provocó ella...

-Esto se está poniendo serio. Tenemos que conseguir una orden.

-Oye, Luis...

-¿Qué?

-¿Y si la tía es inocente y no tiene nada que ver con todo esto?

-Entonces... ¿por qué huye?

-No sabía nada de nosotros. Probablemente no sabe que andamos detrás de ella. Sólo vio a su marido y salió por pies.

-Pues no le pasa nada por venir a declarar. Es guapa, ¿eh? ¿te estás ablandando?

-La vi desesperada. Estaba triste.

-Coño, Enrique, es que ha matado a un tío y sabe que lo va a pagar... pero si quieres, cambia de oficio, hazte abogado; yo soy policía.

El engominado sonríe. Su sonrisa de lobo bajo el gesto profesional.

-Yo también. Sólo me inquietó un poco. Deseaba acabar con ese cabrón de Carlos Mata, tú lo sabes. Y allí estaba ella. Lo ha conseguido y encima no le puedo dar una medalla por ahorrarme el trabajo.

-Sí claro, dale la medalla, y al rato todas las tías van a matar más hombres que cucarachas.

-Hombre...

-Así son las cosas. No pienses mucho, no deja tiempo para trabajar.

-Sí. Así son.

JULIA

La tarde que la Lola huyó en el tren, Jaime condujo como un loco hasta Barcelona. Eran alrededor de las diez de la noche cuando dejó a Juan en la puerta de "El Pirata". Aún había clientela y la Julita atendía eficientemente.

Eran más de las doce cuando Juan y Julia se quedaron solos.

—Tenemos que hablar, Julia.

—Si quieres, hacemos las cuentas.

—Sí, pero luego tenemos que hablar.

La Julita se encogió de hombros.

—Pero luego me acompañas a casa, ya ves que hora es.

—Sí, te acompaño.

Hicieron las cuentas, comieron algo, tomaron café y algunas copas, total, ninguno tenía ganas de dormir.

—¿Qué me cuentas de hoy?

—Hubo mucho trabajo. Esto va bien, Juan.

—Eso ya lo sé. ¿No vino nadie preguntando por mí?

—No.

—¿Y, ayer?

—No.

—No me vengas con cuentos, Julia.

—Ayer nadie preguntó por ti; por tu mujer sí, claro.

Todos los días. Que donde está la señora Dolores Serra, que si cuando viene, que si tú sabes... qué sé yo...

-Julia, no me estés tocando los cojones y dime de una puñetera vez qué te preguntaron y quiénes...

-Mira, aunque seas mi jefe eres un mal hablado de mierda, y si me da la gana te lo cuento y si no, no.

-Y si a mí me da la gana te denuncio por vender marihuana o ¿te crees que estoy lelo y que no me llegan los cuentos de lo que haces? Te meto en un lío que se te quitan las ganas de andar en todo esto...

Los ojos azules brillaban como luciérnagas en la noche gótica. Las lágrimas rodando sorpresivas en la cara de la joven; ante la mirada estupefacta del hombre.

-Yo ya no estoy en eso. Hace mucho tiempo que lo dejé. ¿Cómo te has enterado? ¿Es que siempre va a salir? Era muy joven. Hace años de eso. Los poli me dijeron lo mismo, me amenazaron...

"Esto si que ha sido un golpe a ciegas. Ni loco lo hubiera imaginado de la pava de Julita".

-Anda, déjalo ya... No me gusta la pasma, ¿crees que les voy a contar algo de alguien? Tómate otra copa, te hará bien. Hala, mujer, que no nos asusten esos hijos de puta, es que me he cabreado porque no me cuentas de mi mujer, es que tú sabes lo que pasa en mi casa. Tú me ayudas y yo te ayudo, te lo juro, no te va a faltar trabajo.

La cara cubierta de lágrimas, la sonrisa coqueta, las copas empezando a hacer efecto

-Es que ayer vinieron los polis, son dos...

-Sí.

-Me dijeron que se llamaban Luis Pons y Enrique Sánchez...

-Sí, dime...

-Que sospechan que tu mujer mató a Carlos Mata. Me alegro, era un desgraciado. A mí me molestó en dos ocasiones, pero ya sabes, su hermano Roberto tiene todo el dinero que quiere y siempre consigue buenos abogados de esos que pagan la gente de "pela".

-Todo eso ya lo sé, ¿qué buscaban aquí?

-Pues saber donde estaba la Lola, nada más.

-Julita, tesoro, no me estés jodiendo.

La muchacha llora y llora sin disimulo, liberando las copas, liberando su amor, liberando su desesperanza.

-Coño, tú. Te estoy ayudando y desconfías... qué me importa tu mujer. Y mira, les di una agenda de ella. Eso querían.

-No tenían derecho. ¿Cómo te dejaste engañar? Coño, Julita, tú eres una tía lista. Me vas a hacer creer que...

-Era la agenda nueva; Lola apenas empezaba a pasar algunos teléfonos. Pueden llamar e investigar ahí todo lo que quieran. Algunos proveedores, algunos clientes... todos hablarán bien de ella. La otra agenda, la completita, la tengo aquí –y levantándose se dirige a una maceta y la saca envuelta en plástico- toma. Ahí sí hay nombres y nombres... yo que sé... ahí debe estar toda su vida...

-¿Pero, cómo ocurrió...?

-Porque los hombres no pensáis. En cuanto empezaron los rumores y tú corriendo de aquí para allá, mirando fijo el teléfono y de malas, pues me dije: voy a guardar esto de la Lola, la puede meter en algún lío y también a Juan. Y yo no quiero que te metan en ninguna bronca, porque yo, porque yo...

-Julia, tranquila, espera mujer. Te voy a acompañar a casa. Vamos a coger un taxi. Y mañana ven a la hora que quieras, yo me arreglo.

-No, yo vengo como siempre, no te voy a dejar solo con todo esto. Pero no creas que vendo maría, ni nada de eso. Eso fue hace mucho.

-Me importa un carajo, ahora sólo quiero que descanses. No te preocupes de nada. Vamos, anda.

La acompañó a casa. Y ella creó un tiempo, muy fugaz, muy rápido, para besarle en la cara. Aquello, a lo tonto, cerca de la boca, equivocándose, sin equivocarse.

-Gracias, Juan.

-De nada, mujer, gracias a ti.

La luna brillaba iluminando las gárgolas que vigilan incansables el barrio gótico. Se metió por las callejas hasta que llegó a su piso.

"No, si soy un imbécil. Mira que me he quedado con ganas de tirarme a la Julita. Mira que está buena y bien dispuesta. ¿Cuántos años debe tener? veinticinco o por ahí, y es muy guapa. Cómo hemos bebido. Tengo que tener cuidado. A ésta lo mismo le da por el amor que por el odio. Yo no la quiero. Vuelve la Lola y la que se arma... mejor no haber pasado de ahí. ¿Y si fue ella la que mató al tipo? Dice que la molestó... Joder, parezco un policía, ya estoy sospechando de todo el mundo... ¿Y Don Agustín, me puedo fiar de él? Hoy, por mi culpa, casi enganchan a Lola. Qué guapa estaba... y qué triste..."

De pronto se detuvo bajo la farola, un airecillo fresco le dio en la cara.

"Tengo que dejarla ir -pensó- ella sabe lo que hace. Los polis andarán detrás de mí para ver si así la encuentran. Voy a esconder esta agenda, voy a hacer vida normal. Ella me lo dijo: *Haz tu vida*".

"No les daré pistas, no la encontrarán por mí. Eso es lo que voy a hacer. Contrataré a la abogada para estar preparado. El guardia civil me enseñará a mirar. Ese zorro viejo sabe. Te sacaremos del lío, mujer."

Encendió un cigarro y de pronto le supo amargo.

"Jodidos hombres, siempre fumando. Nos vamos a morir todos de cáncer por vuestra culpa".

Tiró el cigarro al suelo y lo pisó, riendo.

De nuevo un rito. De nuevo un paseo por el pasado buscando una respuesta.

"Se acabó, ya no fumo más, Lola. Para que no andes rezongando. Para que vuelvas más pronto".

DESCONCIERTO

Y esa noche, en la cama amplia y solitaria, durmió tranquilo, como si hubiera invocado un sortilegio benéfico, como si el amor fuera, en realidad, lo único que movía al mundo.

Se despertó al amanecer. Apenas eran las cinco de la mañana, pero algo le estaba molestando, algo rondaba su cabeza. Puso los brazos bajo su nuca y se quedó mirando el techo; mecánicamente alargó la mano hacia el tabaco, pero sobre la mesita de noche no había nada. Se sentó de un salto y entonces se acordó.

"Mierda, tiré anoche toda la cajetilla" –sonrió, recordando su propósito -. Y una mierda, lo que me faltaba, dejar de fumar ahora.

Se levantó y buscó ansiosamente, pero no encontró un solo cigarro en todo el piso. Al fin, se encogió de hombros y se dirigió a la cocina. Sobre la mesa había dejado la agenda de Lola.

"Sitio ideal para que todo el mundo la encuentre. Tengo que ponerme fino, -se pasó los dedos por los revueltos cabellos- estamos en un buen lío".

Luego, se sentó y empezó a hojear la agenda. En la "S", encontró Mary Lou Serra (Palamós). Eso había dicho la señora Montse, en la casa de Malgrat. Cogió el teléfono y marcó el número de Palamós. Nadie contestaba. Claro, eran las cinco y cuarto de la madrugada. Esperaría. Esperaría hasta las siete. Después volvería a llamar. Ya no se acostó, no tenía sueño, se preparó un café. Un café cargado, negro, caliente y lo sorbió poco a poco. Luego se metió en la ducha.

"Cojones, otra vez el agua fría".

Lo que iba a ahorrar de gas, hasta que volviera la Lola.

Pero ya no importó, dejó que el agua le envolviera y le despejara, se vistió despacio, luego puso el teléfono sobre la mesa de la cocina. Se sentó enfrente, esperando. Esperando como si fuera posible que de pronto la voz de la mujer pudiera salir del aparato, como si esa voz fuera a deslizarse por el aire para decirle que volvía pronto.

Amanecía. Se preparó un café con leche con un chorro de ron, y se asomó un momento a la mañana fresca.

-Mierda de primavera-masculló. Más días de lluvia que de sol. Empezó a leer la agenda despacio. Tenía que llamar a todas y cada una de aquellas personas. Pero eso, ¿sería prudente? A algunos les conocía, eran amigos comunes, familia, proveedores, clientes, gente del pueblo de los abuelos en Lérida... Sí, les llamaría a todos. Empezaría por la tipa de Palamós. Luego escondería la agenda. Ya sabía donde. Nadie la encontraría a menos que derribaran el edificio.

A las siete menos cinco ya no pudo más y volvió a marcar el número. La somnolienta voz de una anciana le contestó.

-¿ Digui, digui...?

-Perdone que la despierte, señora, soy el marido de Lola Serra.

-Un moment, pero quines hores de trocar, fill meu...

-Un moment. Un momento. O sea que allí estaba, o

sea que le iba a avisar... o sea que era verdad que le había dejado una pista...

-Diga.

No. No era Lola.

-Oiga, soy el marido de Lola...

-Ya sé quien eres, Juan. Soy Mary Lou. ¿No te acuerdas de mí? La que estudiaba con tu mujer en Barcelona.

-Pues no, tú...

-Bueno, mira, hicimos las dos juntas el bachillerato. Sólo me has visto una vez cuando os casasteis por lo civil.

-Ah, la de los ojos verdes, que venías con una señora...

-Esa. Iba con mi madre, que por cierto la has puesto de una mala leche de aquellas, con la llamadita, como la pobre no duerme. Pero di.

-¿No está ahí Lola?

-No, pero sí estuvo un par de días. Venía muerta la pobre.

-Pero... ¿dónde está ahora, qué diablos pasa? Oye, Mary Lou, ayúdame. No sé donde está.

-Se ha ido a Francia.

-¿Cómo que a Francia?

-Eso dijo. Nos contó que tenía un problema muy grande, que ni tú la podías ayudar. No nos lo quiso explicar para no comprometernos, pero creo que antes de marcharse iba a ir a Barcelona para verte o algo así. Te digo, está muy deprimida.

-No fue a verme.

-Pues eso ya no sé, tío; lo que te digo es que no quiere estar por aquí. Dijo que nos mandará su dirección desde Francia.

La dirección. Un clavo ardiendo. Algo a lo que agarrarse. Algo.

Tomó aire.

-Está bien, Mary Lou. ¿Si te la manda, me avisarás?

-Esto... Juan...

-Coño, ¿me darás la dirección?

La furia le iba envolviendo.

-Mira, Juan, sí, creo que conozco tu voz. Pero para explicarte algo de Lola tendrá que ser personalmente.

-¿Tú no vienes por Barcelona?

-No.

-Entonces voy ahora al bar y según como esté todo, hoy o mañana me planto ahí en tu casa. Dame tu dirección.

-Mira, cuando vayas a salir de Barcelona me llamas y yo te voy a esperar a la estación. No quiero que asustes a mi madre. Tú llama aquí a casa.

-¿Y si no estás?

-No te angusties, hombre. Hoy sólo voy a salir un par de horas y mañana tengo mucho trabajo. Soy modista, estaré aquí todo el día. Sí me llamas iré a buscarte a la estación.

-Está bien. ¿Te doy mi teléfono?

-Ya lo tengo, hombre. Lola y yo nos hablamos alguna vez.

No quería colgar. Siempre la misma sensación. Siempre lo mismo desde hacía unos días. Como si el teléfono fuera lo único que le abría un camino. Un camino que no sabía cómo recorrer.

Dejó la agenda escondida y salió hacia el bar. Aún era pronto, abrió y enseguida llegó Julita. Sus ojos azules, sus preciosos ojos azules. Y ese contoneo que se traía últimamente. Enseguida llegó Ramón y algunos clientes tempraneros. Y el guardia civil. Saludó pausado y se sentó, también pausado como siempre, en la barra.

-Don Agustín...

-Vas a tener visitas, amigo, así que tranquilo. Vete buscándole un abogado a tu mujer. Eso es lo primero. Han estado investigando a las turistas, ya sabes, el grupo que andaba por aquí. A una la asaltaron...

-A lo mejor fue ella...

-Calla, coño, y escucha. No sabemos el tiempo que tenemos...

No hubo tiempo. La cristalera se abrió suavemente. El engominado y el calvo entraron despacio en el bar.

El guardia civil los vio reflejados en el espejo.

-A esos ni pío de lo que te he dicho. Hazte el tonto alguna vez, funciona. Cuando se larguen seguimos y si no, mañana. Tú tranquilo, que yo estoy en esto.

Tomaba otro trago de su carajillo, cuando los policías se acercaron. Saludaron al viejo con cierta indiferencia.

-Don Agustín...

-¿Qué les trae?

-Trabajo.

-Lástima. Aquí se hace el mejor café del barrio.

-Aquí le presento a mi compañero. Enrique Sánchez.

"Un lobito cabrón –pensó el viejo– a ver cómo se defiende el marinero".

-Muy bien, pues yo ya me voy. Mucho gusto.

La pintora en su mesa de "no fumadores". El jubilado se le acerca, y ella le mira interrogante, su sonrisa fría, helada por un momento.

-Permítame que me presente, señorita...

La mujer mira al guardia civil guardando silencio.

"Otra cabrona lista".

-Mi nombre es Agustín Fernández. Veo que dibuja usted al público de este bar. Dibuja muy bien. Si le soy útil me pongo a sus órdenes.

La sonrisa de ella permanece, ni más ni menos; sus ojos ríen levemente, luego observa al viejo: estirado, arrogante y duro, y lo que ve, le gusta. Su mano delicada se columpia en el aire. Como si apartara al viento que se sitúa entre ellos.

-Siéntese. Mi nombre es Paula. Le voy a dibujar.

Y el lápiz empieza a correr.

"Hubo suerte –piensa el hombre- más de la que esperaba".Y adoptando su postura rígida -el café en la mano, se encapricha la pintora- alarga la oreja y escucha los murmullos que vienen de la barra.

-O sea que no sabe nada de ella.

-Nada.

-Ni le ha llamado.

-No.

-En la estación... ¿huía de usted o de nosotros?

No quiere ni verme, ya lo vieron. Nos hemos cabreado. Nada más.

-¿Por qué fue a la estación?

-Una corazonada.

-Mire, la vamos a encontrar, pero es diferente a que la encontremos para que venga a declarar, a que sea para detenerla. Aún no hay una orden contra ella, pero si a usted no le da la gana colaborar...

-¿Cómo sabe que fue ella? Pudo ser cualquier persona. Por ahí andaban los turistas...

"A ver si éste mete la pata" - piensa el guardia.

-Los turistas... ¿qué? –pregunta el peinadito.

-Siempre están paseando hasta muy tarde...

"Esto puede durar todo el día" –se aburre Don Agustín.

Y entonces llegó un poco de diversión.

Los ojos azules de Julita, de pronto, a su lado.

-Juan, te llaman ahí fuera.

Un respingo de los tres.

-¿Quién es?

-Nada. Creo que un paquete para el bar.

¿Y si es algo de la Lola?

-Voy. Bueno, tengo que trabajar.

-Vaya, vaya, nosotros vamos a tomar un café aquí.

"No se van los cabrones. No se van los jodidos cabrones y ahora, qué coño hago, espero que no sea una metida de pata de la Lola, si no, la liamos..."

Pero el hombre entra papel en mano, otros tres le siguen llevando un mueble enorme.

-Eh, ¿dónde van? ¿Qué es eso?

-¿El señor Juan Abreu?

-Sí.

-Pues le traemos el piano que encargó su señora.

Y el hombre lo dice a gritos. Y toda la clientela se vuelve a mirar el piano que empieza a aparecer tras las mantas y los papeles que lo envuelven.

-Mi mujer está de viaje y yo no sé nada de esto, así que ya se lo pueden llevar, para qué quiero yo un piano.

"Cojones con la Lola, siempre había suspirado por un piano para el rincón del bar, el hueco aquel entre las palmeras. Era capaz de haberlo mandado. La de pelas que se estaba gastando la tía. Y encima comprometiéndose".

Porque los dos "polis" siguen allí. Oliendo, olisqueando que no han perdido la mañana, se levantan y se sitúan cerca de todo el asunto.

-Llévenselo – murmura Juan.

-Pero oiga, que a mí me mandan y no sé nada, además ya está pagado -se enfurece el hombre.

Y la clientela anima insistente a que lo acepte. Y la situación, de brumosa pasa a ser una farsa, una pequeña tragicomedia hecha de recuerdos que se volatizan, que se vuelven esperpentos peligrosos, que se involucran y enrollan en su propia indefensión. La voz del engominado es suave y fría.

-¿Por qué no lo quiere, señor Abreu? ¿Qué le preocupa?

-Está bien, pónganlo en aquel rincón y lárguense, están molestando a los clientes.

Pero los clientes están encantados y hasta la pintora sonríe e imagina a quién dibujará sentado frente al piano; ese piano bello, no muy lujoso, negro y brillante, dispuesto a ofrecer esas melodías para los que huyen, para los que se quedan y para los que no están.

Cuando todo se calma, alguien insiste en que se abra y Juan abre la tapa con la diminuta llave. Dentro, el blanco y negro compiten por resaltar. Y un sobre bajo la tapa queda al descubierto.

Podían haber pasado muchas cosas, como que nadie se diera cuenta, que todos se dieran cuenta, que sólo los policías lo vieran, que alguien lo metiera en una botella y lo lanzara al mar, que Juan tuviera tiempo para tomarlo y guardarlo, que era lo más normal; pero lo que ocurrió fue muy sencillo, muy rápido, como si una cámara se hubiera acelerado y el tiempo se rompiera en una desesperación lenta, que no moría. Uno de los policías tropezó de lado con el piano, arrancó el sobre, sacó el papel y la hoja se deslizó desplazándose bajo el pie del hombre mientras su compañero lo recogía.

-Señor Abreu, qué descuido, voy a recoger esa nota- y el engominado se sitúa entre él y su compañero, fingiendo, burlón, un respeto que desconoce.

Ahí está la hoja, en manos de Luis Pons que se retira con ella lentamente hacia el mostrador.

-Déme eso- ruge Juan.

-Tranquilo, señor Abreu, o nos lo llevamos detenido ahora -murmura el otro-. Si quiere vamos dentro del bar y hablemos. Esto es serio. El juego se ha acabado.

Se meten en la pequeña oficina.

-Lo que ustedes están haciendo no es legal.

-Una hoja se ha caído y nosotros la hemos recogido. Un golpe de suerte, y ahora lea, cabrón, y no esté tentando tanto esa suerte.

"Juan, te quiero. Te extraño pero me tengo que ir. No me volverás a ver. Olvida todo lo que hemos peleado. Me voy muy lejos. No te puedo explicar por qué tengo que hacer todo esto, pero es mejor así. Te envío el piano, creo que quedará precioso en el rincón de las palmeras. Quiero que tengas este último recuerdo

mío. El bar te queda así perfecto.

Te quiere

Lola

-¿Está claro? -ladra Luis Pons- No huía de usted en la estación. Ha matado al tipo y no quiere complicarle a usted.

-Pero... ¿no ven lo que está diciendo? que nos habíamos peleado, que es lo que les he estado diciendo todos los días...

-Aquí pone que olvide las peleas... No, amigo. Tiene usted una mujer de cuerpo entero. Búsquele un buen abogado y nosotros le traeremos mañana la orden de detención.

-Déme esa hoja. No pueden llevársela.

-Oh, ya lo creo que puedo. Me la he encontrado en el suelo, señor Abreu. Así que ya sabe, pronto le traerán una orden, su esposa tendrá que ir a declarar y si no aparece, habrá una orden de detención contra ella.

Los dos hombres salen rápida y abruptamente, como su patinaran sobre una niebla imaginada.

Y Juan, que está dispuesto a arrancarle la maldita nota sin comprender si en realidad tiene importancia o no, siente sobre su brazo la mano dura del guardia civil.

- Déjales, hijo. No te metas en líos. Te necesito libre. ¿Tienes ya un abogado?

-Creo que sí.

-Pues llámale ahora, no pierdas tiempo. No creo que valga la pena liarte a tortas con esos, es lo que están deseando. Vete ahora al abogado. Y si tienes algún sitio donde puedas dejarle un recado, a tu mujer, aprovecha ahora que se han ido tan ufanos con su trofeo, luego no te van a dejar ni a sol ni a sombra.

-¿Y usted?

-Yo, a lo mío.

Juan encargó el bar a Julita. Los ojos azules siguiendo sus movimientos. Aquella mirada que se paseaba por su cuerpo, que quería entrar en él. La mano de la pintora acariciando lánguidamente el piano. En sus papeles, la mirada arrogante del viejo jubilado.

La cristalera se cerró a sus espaldas. Se fue directo al periódico. Si algún poli le seguía, quizás aquello les inquietara... al menos los polis de las películas se inquietaban. Al llegar, preguntó por Jaime, y este le recibió enseguida. Su pequeña oficina estaba llena de papeles que bailaban en peligrosas pirámides, revistas y libros atravesando el camino entre las sillas. Apartó un montón de hojas y un sillón emergió milagrosamente de ellas.

Cinco minutos más tarde habían conseguido cita con la abogada. Los recibiría inmediatamente.

-¿No vas a estar, Jaime? –le preguntó alguien al salir.

-Reportaje –contestó éste sin mirar atrás.

-¿Eso cuela? –se admiró Juan, ya en la calle.

-Casi, nunca, pero qué quieres, hay que intentarlo.

La abogada era una mujer joven y decidida, y parecía muy preparada. Los honorarios eran aceptables; se hizo cargo de la situación, habló unas cuantas cosas de las que Juan entendió la mitad y le insistió en dos aspectos: a ver si realmente llegaba algún cargo porque si no era así, habría que ir a por los policías que le estaban acosando, y segundo, había que tratar de localizar a su mujer, porque si aparecía como persona desaparecida o huida, era más delicado.

En cuanto salieron llamaron a Mary Lou Serra y enfilaron hacia Palamós.

Tardaron unas dos horas. Ya en el pueblo, Jaime se fue a comprar unas cosas que Reme le había encargado, y él se vio en la estación con la mujer.

Era alta y esbelta. Rubia con los ojos más verdes que había visto en su vida.

"Demonios con Lola, es que todas sus amigas están buenísimas".

Se fueron a un barcito y se sentaron frente al mar.

Pero no se sabe qué extraño milagro hizo que no lloviera aquella tarde y el sol brillaba en las cristaleras. Una pieza de jazz se escapaba de algún piano. Las dos copas recogían las luces y esperaban pacientes.

Por fin, la mujer rompió el fuego.

-¿Qué pasa, Juan, es que eres uno de esos machos típicos?

Él extendió las manos.

-Espera, luego discutimos eso. Desde hace dos semanas no entiendo nada. Lola desaparece de casa. Me ha llamado, me manda un piano al bar...

A la mujer se le humedecieron los ojos.

-Al fin, te mandó el piano.

-Me importa unos cojones el piano, lo que quiero es verla a ella. La quiero, ¿entiendes? y no sé que demonios le está pasando.

-¿La querrías igual si otro tío la hubiera violado? Porque hay amores y amores, ¿eh?

Sintió que todo se nublaba. "O sea que sí. Que había sido ella, que se había echado al cabrón del Mata, ¡puto yonqui, en qué lío les había metido!" De pronto, qué frío se sentía el aire del mar, y su frente, ¿por qué sudaba? Ahora ya sabía por qué se había ido. "Bien, no le iban a dar una condecoración por defenderse, eso era seguro. Ni le iban a evitar vergüenza y humillaciones. Tenía que avisarle que no volviera, que se fuera a Francia, él la alcanzaría. Luego ya verían donde. Algún lugar habría para ellos. Algún sitio donde simplemente se pudiera tener un bar con un piano y bailar con ella cuando la gente se hubiera ido".

Alguien gritaba a su lado y las sombras llenas de puntos brillantes desaparecieron.

-Juan, por Dios, no me asustes. Estás blanco. Tómate el ron.

La copa estaba en su mano. No sabía como había llegado ahí, pero la tomó de un trago.

-No seas bestia, hombre, te va a hacer daño.

No le hizo daño. Pidió otra y luego miró a la mujer. Las sombras se habían ido. La realidad estaba allí. La enfrentó.

-¿Qué me decías, que alguien violó a Lola? Fíjate bien lo que te digo: Ella es ella, y si algún cabrón le hizo algo, tengo que buscarle, claro, pero ella no habrá cambiado ni así, y te...

-No me digas nada...

-Sí, te...

-No la violaron. No, Juan, es que los hombres no escucháis... no dejáis hablar, por Dios.

-Pero tú has dicho...

-No. Yo he dicho que la podían haber violado. La asaltaron al salir del bar, una noche. Es que no tendría que ir sola...

-Bueno, ¿qué pasó?

-Pasó que un tipo la siguió y la amenazó, ella le dio una patada y le soltó el spray, ese, ya sabes...

-Sí.

-Bueno, se lo tiró a la cabeza y el tipo empezó a sangrar...

-¿Por la yugular?

-Sí eso, tómatelo a guasa... Llegó a vuestra casa con trauma de aquellos, y se fue sin decirte nada.

-¿Por qué?

-Escucha, hombre, déjame acabar. Se fue a Malgrat unos días, pero tú ni apareciste, ni nada, además parece que os habíais peleado esa misma noche, así que se sintió muy mal y se fue a Malgrat, luego se vino para acá. Yo, la verdad, le dije que no era para tanto, que hablara contigo... Estaba, no sé... como muy confusa, alterada y luego salió con lo de que a lo mejor se iba a Francia. Le dije que por qué no se venía a casa una temporada hasta que se le pasara el berrinche, pero que te avisara a ti. No quería, se puso muy terca, decía que no quería compli-

carte la vida. No sé como demonios te la iba a compli-
car, pero no la saqué de ahí.

-Pero...

-No, ten paciencia, escúchame: Que te asalten a lo
bestia sí tiene que ser un trauma duro, pero me alegro
de que se pudiera defender. No pasó de ahí; ojalá le haya
hecho un buen boquete al cerdo ése, que, vamos, no se
le olvide nunca, pero a ella, la pobre, cómo le trastornó
la vida... Bueno Juan, eso es todo lo que sé. Me prometió
que me enviaría la dirección desde Francia, así que, a ver
si escribe... en cuanto sepa algo, te llamo. Pero quiero
advertirte que yo voy a seguir las instrucciones de ella;
si me autoriza te doy la dirección, si no, sólo te iré
diciendo si está bien y todo eso... De todas formas pienso que en cuanto se le pase, te llama rápido, antes que a
nadie, es que ahora está muy traumada.

Toma este papel, ahí te he apuntado mi dirección y
el teléfono ya lo tienes, llama cuando quieras.

En el camino de regreso, Jaime condujo a toda leche.
No le preguntó nada y le dejó, en silencio, mirando el
mar.

Juan escuchaba la música más insoportable que
hubiera oído jamás. Pero la radio, era de él, así que hiciera lo que quisiera, bastante hacía con llevarle y traerle en
esa aventura absurda que le había caído encima como
una lluvia inesperada. Llovía sobre él: una cosa y otra, el
silencio y la espera, el desconcierto y la amenaza; y lo
malo es que aquella lluvia se le iba metiendo en el corazón.

Era lista la Lola. Sí, era lista, no le había contado lo de
la raja en la yugular a su amiga. A lo mejor era verdad.
Ese tipo tenía muchos enemigos y... enemigas. Era el
yonqui más desgraciado que había conocido en su vida.
Y no por lo de yonqui, si no como persona, siempre
jodiendo, molestando, haciendo daño por diversión.
Lástima que estuviera muerto porque si no él se habría

encargado con mucho gusto. De pronto, recordó al tipo del muelle, ¿en qué puerto habría ocurrido aquello? Ya lo había olvidado... ¿cuándo fue? , defendió a una mujer muy morena. Ella lloraba, era delgada, triste y fea, y sus desdichas hacían más despreciable la violencia. Mujer cansada, saturada. El tipo, un marino, la había sorprendido, la había arrastrado a un callejón, y ella se defendía, débil y resignadamente, con la angustia triste de las perdedoras.

Nunca había vuelto a pensar en eso. Y, de pronto, sonreía feroz. Juan se había acercado despacio, y había lanzado al hombre contra la pared. La mujer miraba embobada, asombrada de salir sin demasiado daño de una de las pesadillas que parecían acompañarla.

"-Váyase" -le había dicho él .

La voz de ella: suave y bellísima como la de un gato adormilado le llenó el alma.

"Gracias, señor". "Que se marche, coño". "Gracias señor": Como una música. Y luego la mujer se perdió en las sombras.

El hombre del suelo no se movía. Ni posiblemente se volvería a mover nunca. Juan volvió al barco y ni un sólo momento en su vida había vuelto a pensar en aquello.

Ahora se repetía. Y él no había estado para defender a Lola.

"Bien, tendría que hablar con la abogada."

Se desperezó, se pasó las manos por los cabellos revueltos por el aire del mar.

-¿Ya aterrizas? – le preguntó Jaime.

-Sí. Estaba pensando.

-Ya lo vi. ¿Has sacado algo en claro?

Le dio una palmada en la espalda.

-Sí, Jaime, que eres un amigo de cojones. Gracias por traerme. Gracias por presentarme a la abogada, gracias a ti y a Reme.

- No te pongas imbécil, que te dejo en la carretera.

Por primera vez en muchos días, rieron.

-No te explico nada, ¿vale?

-Es mejor. Primero con la abogada y luego, a ver... porque la poli es capaz de empezar a interrogar a todos vuestros amigos y va uno y mete la pata sin querer y todo se lía al revés de lo que es... ¿tú has visto "Testigo de cargo"?

-No, ¿qué coño es eso?

Una, película, tú, buenísima... resulta..., bueno es un crimen y...

-Oye, no, por ahí no paso, que la Lola me las explicaba todas... y estoy de vacaciones...

Y vuelven a reír, y la sombra de Tyrone Power se extiende sobre ellos y Marlen miente en el juicio, y los dos hombres, en el fondo, piensan en el amor. En ese amor que te hace mentir, jurar, huir, matar; y en el otro, en ese amor que te hace seguir buscando.

BÚSQUEDA

Pasaron tres días en los que el guardia civil no apareció por el bar. El cuarto día se presentó, temprano, como siempre, pausado, como siempre.

-Buenos días, Juan.

-Ah, don Agustín: He estado llamando a algunas amistades de Lola, también a los familiares de Lérida, nadie sabe de ella, sólo...

-Calla, hombre, coño. Tú ni saludas y te pones a meter tu rollo. Mira, Juan, escúchame, que no te traigo muy buenas noticias, pero tienes que estar al tanto. Así que escúchame, hombre: Alguien atacó a una turista aquella noche. La turista en cuestión...

-Mató a Mata.

-Que escuches, coño, que al final te voy a mandar a la mierda.

-Bueno, hombre, no se ponga así. Tome su carajillo.

-La turista no mató a nadie. Ella solita –que es lo que tenía que haber hecho tu mujer -, fue a denunciar el asalto. Le habían robado o no sé que, el caso es que les cayó del cielo a los de la comisaría. Imagínate: Asalto, defensa, denuncia, mata sin querer al tío, se entrega, todo resuelto... ya es cosa de los abogados; Todo el mundo a dormir a casa. Caso cerrado.

El guardia civil movía las manos gesticulando fríamente, describiendo un plano en el aire, una estrategia
concebida y pensada. Y de pronto, la palma de su mano,
en vuelo rasante sobre el mostrador.

-Nada.

-¿Entonces?

-Esto es confidencial –se atusa el bigote.

-Pues más de lo que le he dicho yo...

El viejo jubilado sonríe.

-Tú, si es que sabes algo, aún no me has dicho nada,
listillo, pero en fin, no importa;

te digo que el tipo estaba, como siempre, hasta atrás
de droga, intentó detener a la mujer en cuestión.

-¿Y qué?

-Consiguió pincharle, parece que ella se soltó, le tiró
algún objeto –que no han encontrado por cierto-, a la
cabeza, él empezó a sangrar, ella le golpeó duro en los
testículos.

-Hijo de puta...

-Sí, claro, pero espera, luego, la mujer –fuera quien
fuera-, aprovechó que el tipo estaba medio ciego por la
sangre que le caía de la cabeza y con la navaja del tipo
le rajó la yugular.

-Hizo bien... No hay que permitir...

-Sí, hijo. Tienes razón. Si a todos esos degenerados yo
sé muy bien lo que les haría, pero ahora que tenéis
mucha democracia, a ver como lo solucionáis.

-No tiene que ver una cosa con otra. Con la dictadu-
ra era mucho peor... Como moscas, se moría la gente
aquí, Don Agustín... como moscas...

-Mal vamos...

-Usted empezó... dejémoslo... pero lo otro que
decía.... ¿La turista...?

-La turista, nada. Casi se da un susto de muerte cuando la empezaron a interrogar. Arrestaron al tipo. Fue el

"Cholo", Arturito, el "Cholo", ya sabes... y encima furioso porque la alemana; es una alemanota muy guapa,
¿sabes?, pues no llevaba casi pelas encima, como que no
son tontas... Bueno, a lo que iba, el tipo de sangre de la
alemana no coincide con el sangrerío que había allí. En
realidad, había muy poca sangre de la mujer, sólo unas
gotas que salpicaron cuando la pinchó. ¿Qué tipo de
sangre es el de tu mujer?

-Y yo que sé. ¿Cuál es el de la supuesta asesina?

-"O"

-¿Cómo sabe todo eso?

Una sonrisa suave bajo el bigote.

-Tengo muchos amigos. Investiga el tipo de sangre de
tu mujer, se lo dices a tu abogado, y todo lo que te he
contado, también.

-Es abogada.

-Mejor. Tu mujer tendrá más confianza con ella.
Cuéntale todo. Te insisto: que tenga todos los datos.
Escucha, te van a mandar una orden para que tu mujer
vaya a declarar.

-También se lo han contado sus amigos.

-Sí.

-Tanta preocupación por un yonqui me tiene asombrado,

-Es la ley.

-No me venga con cuentos.

-Es la ley. Hay que respetarla, si no, esto va a ser una
merienda de negros. Y además...

-¿Qué?

-Roberto Mata. Está forrado el tío. Con la pasta que
tiene está pagando a los mejores abogados, quiere pre-
sentar a su hermano como una víctima social, ¿no está
muy de moda eso ahora?

-Joder, no me venga con políticas...

-Bueno, no me voy con políticas, pero el muy cabrón
eso es lo que está haciendo. Los policías van a buscar al

asesino o asesina de un hombre enfermo, dañado, drogado, al que una fiera provocadora que andaba por las
calles del barrio gótico por la noche, le rajó la yugular.

-Pero... ¿qué imbecilidades está diciendo?

-Vete acostumbrando la oreja, muchacho, vete acostumbrando porque los abogados de los ricos tienen una
imaginación extraordinaria, y lo peor es que saben usar-
la apegándose a la ley muy, muy estrictamente. Vete
acostumbrando porque vas a oír cosas peores, y como
me llamo Agustín Fernández que Lola tiene que volver a
estar aquí pronto, libre y tranquila. Así que al tanto y a la
faena. Tú vete a casa a buscar algún análisis de esos que
se hacen las mujeres, vete a hablar con tu abogada y vigila a las mujeres que te rodean, que hay por el mundo
muchas buenas mujeres pero también muchas cabronas
sueltas. Hasta mañana.

Apura el cigarrillo y se levanta despacio.

-Don Agustín...

-¿Qué?

-Lo que ha dicho de la Lola... usted cree que no fue
ella.

-No es del tipo. Creo que tu mujer le tira a la cabeza
lo que tenga a mano al primero que se meta con ella...
quizás lo del rodillazo... y sale a la carrera. Se necesita
otro tipo de sensibilidad, más fina, más artística, vamos,
para detenerse a completar la faena...

-O más asustada.

-Eso digo, más nerviosa... Me voy. Mañana hablamos.
No esperes a que te llegue algún citatorio de esos... A
por la faena; no te olvides, mira lo del análisis y habla
con tu abogada...

Se va el hombre y llega el silencio, ve los ojos azules
de Julita vigilándole desde aquí y desde allá, ve a la pintora, esa jaca fina, potra de lujo, dibujando a un marino
uniformado que sonríe contento. Ve el piano negro, algo
viejo, bello, en el rincón de las palmeras y siente que

necesita salir a respirar; luego llama a la abogada, sólo le puede recibir dentro de una hora o la próxima semana, así que sale disparado para el despacho.

Pero antes, en un arranque idiota, pasa por el piso y sube a la carrera y busca en los cajones y enciende el mechero. La pequeña llama danza buscando una presa y él se la ofrece acercándole el papel de los análisis, el burdo papel donde dice que Dolores Serra, su Lola, tiene sangre de tipo "O". Como si la ínfima hoguera de partículas negras se llevara ese secreto, como si a ella ya no le quedara sangre donde buscar un hipotético delito.

Y baja a la calle y esta vez el ritual ha fallado porque la angustia no le abandona y avanza por las calles empedradas sin darse cuenta que está lloviendo, y de que alguien en su bar toca suavemente el piano. Como siempre, o como casi siempre, Lola tuvo razón. Lo del piano atraía más clientela. Los turistas bebían cerveza y cantaban, y la gente -incluidos los austeros y duros viejos del dominó-, se balanceaban y entonaban canciones que Juan había oído en su voltear por el mundo. Julita sonreía y pedía más piezas románticas a los aficionados; tomaban café y por un rato olvidaban la lluvia, que seguía impenitente, impertinente, sin darse cuenta de que Lola no estaba. Un ritmo y otro ¿En qué puerto, en qué mar lo había escuchado? Un dos, un dos, casi como las olas del mar, casi como el ritmo de su corazón. Los mundos que él había visto aquí y allá, de pronto, dibujados sobre el suelo de su bar. Nunca le había gustado el nombre que le habían puesto: "El Pirata". Pero al retomar sus mundos olvidados a través de la música, las palabras cobraron un sentido esencial. "El Pirata", el que había viajado sin ley, el que había hecho de la mar su vida. Y de pronto pensó:

"Cinco años. Cinco años la espero. Si no aparece, si no la encuentro, vendo todo y me largo al mar". Ya veía que en tierra él no tenía buena suerte... Sólo que le había gustado pisar tierra firme... por un momento, había creído que aquel era su puerto.

La abogada le había, más o menos, tranquilizado; le había explicado que de momento no había oficialmente ningún cargo contra ella, así que no removiera el asunto. "Mejor que no complicara las cosas. Sólo si tenía oportunidad de contactarla, con discreción, sin detectives... mire el lío que armó en la estación".

El se quedó estupefacto. ¿Qué había hecho él en la estación? Sí, probablemente los "polis" le habían seguido, a ver donde iba con tanta prisa, a ver qué caía, parecía que vivieran prácticamente en las cercanías del bar... siempre husmeando... siempre.

La abogada insistía: No creo que ella le llame, después de lo que hizo.

Y él, sin entender, nada.

-Pero, ¿qué demonios le hice yo? Aún tiene que estar contenta. A ver si no son así las cosas: Se larga, no confía en que yo pueda ayudarla, aún así, voy detrás como un imbécil.

-Cálmese -le había dicho la abogada.

-Me calmo, me calmo, pero voy a buscarla porque quiero ayudarla, me ve, se encabrona y me escupe que no la vuelvo a ver más, ¿quién entiende eso?

-Yo. Es muy sencillo -había dicho la mujer- he visto muchos, muchos casos en que la mujer, harta y digo harta no refiriéndome a su caso sino a otros, se va y ahí tiene usted al marido que de repente se acuerda que tiene un contrato de matrimonio y va tras ella, con todo y policía. Usted llegó a la estación, ¿qué le dijo?

-Le dije: Esos son policías.

-Y ella se enfadó.

-Sí.

-Su mujer creyó que usted iba a buscarla con la policía. Por los datos que tenemos, podemos sospechar que está sufriendo un trauma muy duro. Verle llegar acompañado de la policía no la ayudó precisamente.

Y él con la boca abierta.

Asombrado. Escuchando. ¿Cuál es la realidad?

"La realidad no es sencilla" –le había dicho la abogada.

Recordaba todo eso, pero para él, la realidad era sólo
una y todo apuntaba en su contra.

"Lo de la sangre no es, en sí, un factor definitorio de
nada, pero con tantas aparentes pruebas circunstanciales es un factor más en contra de ella. Hay actualmente
pruebas más complejas que esa. Hay que esperar. Usted
vaya pasándome toda la información".

Toda, no. No había nombrado a Mary Lou Serra, ni le
había dicho que ya sabía que la Lola había sido asaltada,
Se había aprendido su número de memoria y había
arrancado la hoja de la agenda. Había arrancado otras
muchas y sólo había conservado aquellos teléfonos a los
que aún quería llamar.

Aquella mañana, al llegar al bar, le había preguntado
a Julita qué tipo de sangre tenía.

"Demonios con las mujeres -pensaba-, desconfiadas
por naturaleza". Se había puesto como loca, casi le tira
el delantal ese, lleno de puntillas, al mostrador.

Que ella le ayudaba todo lo que podía y él en cambio quería meterla en un lío. Que todo el barrio aplau-
día a la Lola por lo que había hecho, porque todos estaban seguros que ella había matado al cabrón de Mata. Si
hacía falta, muchos irían de testigos a defender a Lola,
pero eso... eso de quererla meterla en un lío; eso era ser
un cabrón de mucho cuidado.

Total que la cosa había salido aun peor. Tuvo que
meterla en la pequeña cocina y consolarla y ella entre
lágrima y lágrima aprovechó para darle un beso en la cara.

"Demonios con la Julita. Y mira que está buena".

Ese mismo día, el guardia civil llegó a media mañana.

-Buenos días, Juan.

-Buenos días Don Agustín, creí que hoy no vendría.

-Malas noticias hijo, prepárate.

-¿Saben algo de Lola? ¿Le ha pasado algo?

-Escucha: Roberto Mata ha puesto una denuncia contra ella. La van a llamar a declarar. Y claro, no está, ¿no?

-Pero no pueden hacer nada si no está, digo yo, tendrán que esperar a que regrese... no le van colocar un crimen sin estar presente, ¿no?

-Pues mira, Juan, la cosa no va así sino todo lo contrario

-Ya sé, ya sé...

-La van a llamar a declarar y si no aparece, sí constará que está huyendo de algo... cuando la encuentren la encerrarán y luego, en un juicio, habrá que demostrar su inocencia. ¿Me explico?

-O sea que decidirán encerrarla... porque ella, vamos, seguro que no va a venir a declarar, pero si estuviera... ¿harían lo mismo? Sí, claro, primero la "enchironan" y luego, preguntan...

-Probablemente.

-O sea...

-O sea que hoy o mañana te cae una orden contra ella, aquí o en tu casa... pero no te preocupes, tú la recibes y ya, yo estoy en esto.

"Yo estoy en esto. Qué morro se gasta el tío, se puede ir a la mierda. Nadie hace nada. Voy a llamar a Palamós. Luego llamo desde una cabina. Uno también va al cine y aprende esas cosas. Le voy a decir que si la llama, que le diga que no vuelva por aquí, que si aún no se ha ido a Francia, que se vaya o se esconda donde carajos esté."

Don Agustín seguía hablando.

-¡Qué no escuchas, coño!

Y entonces mira al guardia civil y ve una mirada que le sorprende. Es la mirada, es el aspecto. Más arreglado, un cierto perfume a colonia de hombre. Esa impaciencia por irse, ¿a dónde? Y se da cuenta de que la pintora está entrando en el bar, elegante, una bruma fría y sugestiva; el saludo, el gesto del águila real.

Ramoncito corre a atenderla.

-¿Lo de siempre?

-Sí. Lo de siempre,

Y el guardia civil que sonríe.

-Vamos, que no te puedes quejar de la clientela que tienes.

-¿Qué, se ha enamorado?

-Deja de limpiar ese vaso, tío, que ya está brillante. No seas gilipollas y atiende. Verás, Paula...

"Ya le llama Paula" –se sonríe el marino, sin decir nada.

-Paula me está pintando un retrato, bueno, dos, para mis hijos...

-¿Usted tiene hijos?

Y, de pronto, el viejo es una persona normal, un tipo con familia, con intereses muy lejos de ese bar, de la Lola, del crimen... de su aire de detective "solucionalo todo".

-Pues claro que tengo. Un hijo y una hija. Los dos casados. Allá están en Valladolid.

-¿Y usted, qué hace aquí?

-Pues yo he vivido en Barcelona los últimos diez años, con mi mujer...

-Pero, ¿usted está casado?

-Viudo, por desgracia, desde hace seis.

-Vaya, lo siento...

-No, si desde que te ha pasado lo de Lola te estás humanizando. Bueno, a lo que íbamos: Es verdad lo que estás pensando, la tía me gusta, pero es mucho lujo para mí, le he encargado dos retratos, el precio es un poco alto pero a mis nietos les va a gustar.

-¿Y, aparte...?

-Aparte, ésa sabe más de lo que parece. El otro día

expuso en una sala de esas de arte. Había un gentío...

-¿Le invitó?

-No, pero lo vi en el periódico. No es cualquier aficionada, y habla bajo que tiene la oreja larga.

-¿Y qué pasa con ella?

-Había mucha gente...

-Sí, ya me lo ha dicho.

-¿Y sabes tú quién estaba?

-Deje de joder, y suéltelo...

-Roberto Mata.

-¿Y qué? Ese es un empresario cabrón. Esos van a esas cosas, a ver a quién le endilgan alguno de sus líos, a ver a quién pueden engañar... El arte y esos rollos les traen sin cuidado...

-¿No te inquieta el que Paula empezara a venir por aquí al día siguiente de desaparecer Lola?

-Ya me lo había dicho usted, –se encogió de hombros, cansado- también empezó a venir el grupo de turistas, los alemanes, y un viajante de comercio que nunca había venido, me acuerdo porque ese día Julita y Ramón llegaron tarde.

Se sintió fatigado. ¿Qué hacía dándole cuerda a aquel viejo loco? Un viejo enamorado, se veía a la legua, un viejo agarrando el tercer aire...

Se encogió de hombros.

-Haga lo que quiera Don Agustín. Usted sabrá...

Algo leve, como alas en la bruma, rozaron su mente.

-Espere, ¿quiere decir que ella podría haberlo hecho, que fue ella la que se cargó a ese desgraciado...?

Y de nuevo, la mirada sin esperanza de Don Agustín.

-No creo, hijo, mejor vete haciendo a la idea... pero sí creo que entre los dos hay algo. Un viejo sabe más por viejo que por diablo.

-Sí, ya.

-Tú ahora no me crees, piensas: "Ese viejo verde se volvió loco. Mírale aquí en mi bar esperando que la mujer acabe de dibujar a esa chica sentada en mi piano. Luego, se levantará e irá a hacer el ridículo con ella". Pues no. Estás muy equivocado. Te digo que Roberto Mata compró un montón de cuadros.

-Le gustará el arte.

-Ni los miraba.

-¿Qué me quiere decir?

-La quiere tener contenta. Le está pagando algo y quiero saber qué.

-Viene todas las semanas... Hasta se me insinuó el primer día.

-Acabáramos. Te está vigilando. Te vigila, conocería a los Mata, a uno o a otro y Roberto le paga para que le informe de todo. ¿Te has dado cuenta del celular que usa de vez en cuando? Que Juan llega, que Juan sale, que sale corriendo, llame a los chicos, que le sigan... ¿por qué los polis estaban en la estación ese día? ¿Quien va a sospechar de una artista? Todo el mundo sabe que están chifladas...

-Necesito un poco de sangre de ella.

El silencio cae sobre ellos antes de que el guardia se ponga a reír a carcajadas.

-No sé que le hace gracia.

-Hombre, que de repente me sales literato. "Necesito un poco de sangre de ella"; ¡pareces Cervantes, cómo hablas!

-¿Quién?

-Olvídalo, si es que ya no os enseñan nada en la escuela. El caso es que no creo que haya sido ella por la sencilla razón de que nadie la vio por el barrio. Apareció por primera vez al día siguiente... Pero no estaría de más saber qué tipo de sangre tiene.

-Yo me encargo.

-Pero... ¿qué vas a hacer?, quieto, muchacho, estás loco... Era un decir, ella no estaba...

Ella estaba completamente absorta en sus trazos, las

líneas corren y vuelan, y la muchacha sentada en el piano sonríe paciente. Las hojas de las palmeras se insinúan, se sombrean envolviéndola. Juan se acerca y le cambia el cenicero.

-Gracias –murmura la pintora, sin mirarle.

Y Juan acerca el cenicero de cristal que trae en la mano, el cenicero roto y cortante que debía haber tirado hace tiempo y fríamente roza con suavidad la delicada piel de un dedo de la mujer.

Las gotas de sangre saltan y la mujer grita.

-¡Está loco! ¿qué está haciendo?

Pero él ya está disculpándose, el aparente horror en los ojos, recogiendo las gotas rojas, que han salpicado aquí y allá.

-Julita, el botiquín.

Y se lleva el precioso objeto manchado y lo guarda en una bolsa en el congelador porque no se le ocurre otra cosa.

-Te voy a demandar, cabrón, te voy a demandar.

Vuelve al lado de la mujer e intenta calmarla. Sus manos fuertes y cálidas toman el brazo de la dama. Ha calculado muy bien, apenas es algo más que un rasguño. La lleva de un brazo al lavabo. La desinfecta, le pone tiritas, se disculpa. Le mira azorado, con esos ojos cálidos que en los puertos le han conseguido compañía, sin tener que pagar por ella.

-Por Dios, ha sido sin querer, vamos, fue un accidente... apenas es un rasguño... ¿va a demandarme por esto?

-Jamás volveré aquí - murmura ella agitada- el hielo convertido en fuego, los ojos grises de las tormentas de antaño.

-¿Nunca más? ¿Ya no va a volver? ¿Ahora que tiene aquí tantos admiradores? ¿Ahora que es parte de esto?

Hay un cambio en los ojos de ella. Pero es un cambio frío, él casi siente su pestañeo, casi la oye calculando si le conviene irse o fingir que perdona.

-Quizás le perdone.

El cierra suavemente la puerta del baño y la besa.

Sus labios son fríos. Fríos pero de seda y él no sabe como la mano de ella, la que no está herida, le empieza a bajar el cierre del pantalón.

"Bueno, pues qué le vamos a hacer" –piensa, mientras su mano se desliza por la espalda fría, elegante, atractiva como el abismo, de la mujer.

Y la puerta del baño se abre y aparece Julita. En las manos, algodón, alcohol, más tiritas...

-¿Cómo está la señora? Todos estamos preocupados.

El marino se separa lentamente. Se pasa las manos por el cabello.

-Bien. La señora está bien. –Contesta- Yo la acompaño fuera.

En la puerta del baño, el guardia civil con el bolso de la pintora en la mano.

-¿No lo necesita?

La mujer sonríe.

-Creo que me voy a dejar cortar un poco de vez en cuando, se vuelven ustedes muy atentos. No ha sido nada. Voy a seguir dibujando, mi clientela se ha quedado más traumada que yo.

Y cada uno a lo suyo. En la barra Don Agustín le mira preocupado.

-Ha sido una imbecilidad.

-Mañana tengo el tipo de sangre de esa.

-Sírveme un carajillo para celebrar.

-Ahí va.

-Para celebrar que ya lo tengo.

- ¿Que tiene el qué?

-El tipo de sangre. Mientras armabas todo ese teatro y te la trajinabas en el baño, recogí su bolso, dentro, como es lógico, su carnet: Tipo de sangre "O". ¿Estás contento?

-El mismo tipo...

-Sí, pero eso no quiere decir nada. O casi nada. Además ha sido una imbecilidad. Claro que...

-¿Qué?

-Una:Tenemos el tipo de sangre. Dos: Que aunque no te des cuenta, hay algo mucho más importante: No ha querido irse. Estaba furiosa, pero no ha querido perder la oportunidad de seguir viniendo sin que desconfíes.

-Es posible.

-Seguro, hombre. Esa cobra por vigilarte. Roberto quiere atrapar a la Lola y en este caso, la única pista eres tú. Así que ojo, me voy con ella, que ya acabo con su clienta. Hay que aprovechar, que quiero mandar pronto los retratos a Valladolid.

Se va, alguien se sienta al piano y entona una canción melancólica como la lluvia gris que chispea fuera, como la tarde que de pronto es gris, como los ojos azules de Julita que le miran con tristeza.

Julita. Julita. Esa mirada a veces agresiva, a veces desorientada, a veces amenazadora. Dulce, a veces. Esa mirada siempre azul.

Por la mañana, llegó temprano al bar. En la puerta estaba Ramón.

-He llamado a mi tía– dijo con voz apenas audible. Ella nos vendrá a ayudar hoy.

Y él entendió, porque en la calle había una patrulla de policía y una ambulancia y gente y sin saber por qué, supo que a Julita le había ido mal.

Tuvo que ir a reconocerla a la morgue.

"Sí. Era ella. Sí, trabajaba para él".

Había unos familiares, unos tíos; ellos se encargarían de todo.

Llovía y la lluvia fina caía mojando su cabello. Entró en el bar. Fue como llegar a puerto. El guardia civil en la barra. El piano silencioso; Ramoncín y su tía atendiendo a la clientela.

-Pasó las manos por sus cabellos, y las gotas de lluvia

escurrieron entre sus dedos. Se acercó a la barra. Allí había dos clientes más.

-Ya les extrañaba- murmuró sarcástico. ¿Qué toman?

-Nosotros estamos atendidos- contestó el calvo señalando sus cafés.

-¿Saben algo de esto o también fue mi mujer?

Los dos policías se miraron.

-Esto es aparte.

-O quizás, no...- susurró el otro.

-¿Qué se traen?- se preparó un café despacio.

-¿Dónde estaba usted, hoy, poco antes de las ocho de la mañana?

-Venía hacia aquí. No tengo testigos.

-Sí tienes; –interrumpió el guardia civil– yo te vi. Le compraste el periódico a Paco, el de la plaza. Ibas por tabaco y te cabreaste porque estaba cerrado. Creí que ya no fumabas.

-No fumaba, pero, es verdad, iba a comprar.

-También te vio Pepita, la de la pastelería.

-Está bien, está bien –interrumpió el engominado-, no es eso a lo que venimos. Lamentamos el momento, pero tenga:

Le entrega una hoja oficial.

-Su mujer debe ir a declarar el día que le señalan ahí, o sea, pasado mañana. Hay una denuncia formal contra ella.

-Puedo ir yo.

-No. No se le ha citado.

Se encogió de hombros.

-Muy bien, si la veo, se lo daré. Supongo que de lo de Julita no saben nada y si lo saben no me lo dirán.

-Se equivoca, -contestó el calvo- mañana saldrá en los periódicos. A su empleada le atacaron dos rapados de esos.

-Ya.

-¿No nos cree?

-¿Por qué la iban a atacar. Era rubia, blanca, hablaba castellano... o sea, al decir rapados se está refiriendo a las bandas esas que atacan... los racistas, vaya...

-A esos, exactamente.

-No veo por qué.

-Salía con un negro. Tenía antecedentes por vender droga... Sólo con lo primero, estos tipos ya tienen un motivo... con menos les basta...

-¡Por Dios, qué mala leche!

Suponemos que no querían matarla. Le arrancaron el bolso y lo rajaron. Buscaban algo que ella tenía. La empezaron a golpear, la dejaron sin sentido. Cuando pasó la policía estaban abriendo la puerta del bar.

-Se escaparon.

-No. Les detuvieron. Les va a caer una buena. Tenía que haberles visto las caras cuando les dijeron que estaba muerta.

-¿No querían matarla? ¿Cómo lo saben?

-Buscaban algo que ella tenía, o que ellos pensaban que estaba en el bar. Le habían quitado las llaves del piso y las llevaban en, ¿cómo les llaman ahora? En la "chupa" de uno de ellos.

-¿En la cazadora?

-Sí.

-Al caer, quizás ella se golpeó o ellos le habían dado un golpe muy fuerte en la cabeza, fue casi instantáneo. El caso es que serán acusados de asesinato, claro, cuando entren los abogados, luego empiezan con sus cosas... pero eso ya no es asunto nuestro.

-Uno de ellos jura que sólo querían asustarla porque la habían visto salir con un negro y que eso era una vergüenza.

-El otro cantó que querían robarla, debía estar abriendo el bar y pensaron que dentro habría dinero.

Juan les miró en silencio.

-Me alegro de que les hayan pescado.

-Hay que perseguir el delito- añadió el engominado con cierta sorna-. Todos los delitos.

-Primero hay que enterarse quién los cometió.

Los policías no contestaron. El calvo se alejó estirado. El engominado se llevó la mano a la frente en un saludo semi-militar. Los dos salieron despacio como siempre, los chicos buenos de un colegio de ricos.

-Vaya par de cabrones.

-No te preocupes de esos -dijo el guardia civil-. Tengo muchas noticias.

-¿Alguna buena? –su voz sonó tensa; en sus manos daba vueltas el papel que le habían dejado los policías.

-Pues qué quieres que te diga, después vamos a ver si son buenas o no. Escucha, en cuanto llegué y vi lo que había pasado, empecé a dar vueltas por el barrio, pregunté a los que viven enfrente. Todo el mundo estaba muy alborotado. La gente le ha reclamado a la policía que este barrio ya no es seguro, que están hartos de gamberros, bueno, ya sabes...etc, etc...

Los "etcétera" del guardia civil eran largos. Un claro y bien pronunciado etcétera de detalles y personas, angustias y de calamidades.

-La gente está preocupada por lo de Lola... y ahora encima matan a la pobre Julita.... esto ya es demasiado... Hablé con la señora Carmeta...

-¿La viuda de enfrente?

-Sí, la señora mayor... ya sabes, ella se fija en todo, duerme poco...

-¿Vio a Julita cuando iba a abrir el bar?

-Vio a Julita y a los tipos que le arrancaron el bolso. Es mayor, pero no tonta. Telefoneó inmediatamente a la policía.

-Pues no llegaron a tiempo.

-Calla y escucha, coño. Tienes razón, mataron a Julita. Ojalá lo paguen, pero ahora escucha: Hay algo que, "con los nervios"- dice -, se le olvidó decir a la policía. Julia no estaba abriendo el bar para entrar a trabajar. Julia estaba cerrando.

-No lo entiendo

-¿A qué hora se fue Julita ayer de aquí?

-Muy pronto. En cuanto acabó el lío, cogió la puerta y se fue. Nunca lo había hecho. Estaba furiosa...

-¿Por qué?

-Yo que sé -el hombre se encoge de hombros.

-Juan, coño... no ayudas.

-Creo que se cabreó cuando abrió la puerta del baño y la pintora estaba metiéndome mano... y yo, pues... el caso es que se cabreó.

-Y se fue.

-Sí.

- Se fue y después, ¿no volvió al bar?

-No, le digo que se cabreó, se largó inmediatamente y me dejó con el trabajo colgado. Ya no la volví a ver... bueno... esta mañana en la morg...

-Sí, sí, ya sé. Pobre muchacha, entonces escucha: el caso es que la señora Carmeta oyó ruido desde muy temprano, serían como las seis o así. Se asomó y vio a Julita entrando en el bar, cerró y se quedó dentro. La señora Carmeta se indignó y dijo que bajaría por la mañana a decirle que no hiciera ruido tan temprano, que los vecinos tenían que dormir...

-¿Y después?

-Después se quedó adormilada y cuando miró el reloj eran las siete y media, volvió a oír el ruido y se asomó y allí estaba Julita bajando la persiana y saliendo apresurada del bar. Entonces llegaron esos tipos de la banda. Abrió un poco el cristal de la ventana y vio que uno le quitaba el bolso y otro le decía: "Hoy abres muy pronto, guapa, ¿qué, has quedado con el negro?" No esperó más, se asustó y llamó a la policía. Luego, se lo iba diciendo a todo el mundo. "Esos muchachos sabían perfectamente que Julita llegaba a esa hora todos los días. Estoy segura; ya no se puede vivir en este barrio, no vamos a poder salir a comprar el pan. Hay que hacer algo..."

-Los tiene bien puestos, la señora.

-Vaya que sí, y guapa para su edad. Si no fuera porque siempre está blandiendo un bastón, le pedía que se casara conmigo.

-Coño, Don Agustín, usted cada vez me sorprende más.

Bueno, a lo que íbamos... todo esto lo sabrá la policía enseguida, si no es que lo sabe ya... El problema que tienen es que todo parece muy claro, y ahí es cuando se confunden. Aparentemente –y digo aparentemente-, parece que venían a asustar a Julita. Es verdad que salía con el muchacho negro que Paula estaba retratando.

-¿Julia?

-Hijo, es que ni te enteras... Ella estaba por ti, pero como ni esperanzas, pues le gustó el muchacho. Creo que salió un par de veces con él. Nada serio... de momento. Y, ya ves... no hubo tiempo.

El viejo se queda en silencio. Los clientes van entrando en el bar. Ramoncín y su tía sirven con aire apesadumbrado. Alguien se sienta al piano y teclea a ritmo de jazz.

-Creo que le voy a decir a la loca de Carmeta que se case conmigo.

-Coño, Don Agustín... ¿qué le pasa?

El hombre suspira.

-Demasiadas cosas Juan, demasiadas cosas, y siempre el dinero por en medio. Quiero que pienses esto muy despacio. ¿Qué podría venir a buscar Julita aquí? A buscar o a dejar. Si es a buscar, empieza a mirar ahora mismo a ver qué te puede faltar, la cosa más tonta que se te ocurra...

-Julia no robaba.

-No me estoy refiriendo a eso. Busca qué te falta, o piensa, en el caso de que te hubiera dejado algo, una carta, algo... ¿dónde lo habría escondido? Quizás vino a dejarte una señal, un aviso, algo que pudiera ayudarte, no perjudicarte. Una señal, una nota... Yo ahora me voy pero por la tarde voy a volver, me urgen mis retratos y quedé con Paula que hoy los terminaba. En un par de horas estoy aquí.

-Venga a comer, le invito.

-Cuando esté aquí la Lola, para celebrar. Ahora, busca, antes de que a alguien se le ocurra la idea y se te adelante.

Y se aleja agitando la mano y al salir, levanta la vista hacia los visillos con puntillas que adornan la ventana de la señora Carmeta. Hacia sus macetas, resplandecientes, frescas, lujuriosas de color verde.

CÓDIGOS

Juan empezó a buscar despacio, sistemáticamente, procurando no llamar la atención de los clientes. Notas, recibos... y de pronto ve la agenda de Lola, la que -cree- llevaba siempre en el bolso.

El corazón le late. Lola. ¿Lola?

Dios mío, otra vez cerca de un crimen. Bueno, pero ¿es que está casado con una loca de mucho cuidado? Ya se imagina otra vez el lío:

"Señor Juan, que su mujer estaba en el bar, que había quedado en verse con la señorita Julia, que quizás pelearon... Julia la iba a delatar y la... ah, no. - se cortó a tiempo -. A Julita la habían matado los rapados, eso estaba claro."

Tomó un vaso de agua fresca.

"Empiezo a alucinar".

Se metió en el pequeño despacho, se sentó y empezó a hojear la agenda. Allí en la "l" de Lola, la letra de Julita:

"Juan, pensé que mirarías esto. Esta es la agenda vieja, una de las que no sirven. ¿Te acuerdas donde guardé la agenda de verdad, la de Lola.? Ahí te he puesto un regalo que te va a gustar. Ten cuidado.

Díselo sólo a Don Agustín. Quema esta hoja. Ten mucho cuidado. Creo que esa tipa mató al Mata. Después te explicaré."

"Después te explicaré".

Pero ya no había podido explicarle. Ni podría nunca.

¿Qué haría con aquello? No quería quemar la hoja. Podía ser una prueba, algo que le ayudara con lo de Lola. No tuvo tiempo de decidir. Desde el bar se oía la voz de Paula, amenazadora, fría, casi estridente, sobre los murmullos apaciguadores de Ramoncín.

-Dile a tu jefe, que salga inmediatamente. Quiero mis llaves. O voy a ir por la policía, no quiero perder más tiempo.

-Voy –gritó desde dentro.

Arrancó la hoja y la guardó en el bolsillo del pantalón.

-Yo soy el que va a ir a la policía, deje de armar escándalo y pase a la oficina.

-No quiero entrar en su despacho.

-Por Dios, no soy yo quien anda violando gente... pero bueno, si no quiere entrar, vamos a algún lugar tranquilo... ¿Qué le pasa?

Sin decir nada, la mujer pasó al otro lado del mostrador y se asomó al despacho. Su mirada recorrió el pequeño espacio y se volvió enfrentándose al hombre. Su tono era tranquilo y frío.

-Ayer, cuando me cortó, ¿qué quería?

-Fue un accidente.

-No, no lo fue... quería saber mi tipo de sangre, estoy segura. Me lo hubiera preguntado y hubiéramos acabado antes.

-Siéntese, tómese un café. Vamos a su lugar de siempre, está vacío. Tenemos que hablar de usted y de su maldito celular

La mujer le miró; de nuevo la tempestad y la turbulencia, de nuevo la soledad y el miedo, la seducción y la muerte.

Se sentaron.

-Antes que nada quiero mis llaves, llame a la golfa esa de los ojos azules y dígale que me las devuelva. Y no ponga esa cara de asombro, estoy segura de que usted la mandó. La muchacha esa no le quita los ojos de encima, hará lo que sea, hasta ayudarle a tapar el crimen de su mujer.

Le escuchó calmado, como quien observa una ola que se acerca, esa ola que te encoge el estómago; y ya la conoces y sabes que es fría y oscura y siempre desea envolverte. Y si lo consigue, no te soltará.

-¿Algún hombre le ha pegado alguna vez?

La mirada fría de la mujer se llena de odio. Su voz es sinuosa y amenazadora.

-No me amenace, Juan Abreu.

-No la amenazo, sólo le explico que si no deja de hablar como una perra la voy a encontrar en un momento en que no haya testigos y le voy a dar una hostia que no se le va a olvidar en su vida. Simplemente eso. Y ahora dígame si al hablar de esa golfa de los ojos azules se refiere a la señorita Julia.

- ¿La señorita Julia? ¡Qué respetuoso!

-Bueno, por lo menos, no se metió en el baño conmigo a trajinarme la bragueta.

-¡Qué imbécil es usted!

-Acabe su café y no vuelva por aquí.

-Primero, mis llaves.

-Deje esa idiotez, no sé de que habla.

La mujer le mira, la duda alternando con el cálculo, de pronto, sonríe sarcástica.

-Se lo voy a explicar como si usted no lo supiera. La "señorita" Julia tuvo a bien visitarme anoche. Fue a mi piso. Tiene un aire angelical, de eso no hay duda. Me jura el portero que llevaba papeles y que parecía una de mis alumnas. "Me dijo la pintora que la espere en su piso, que no tarda"; eso fue lo que le dijo a ese bruto y con todo el descaro le enseñó mis llaves. El imbécil del portero no le puso ningún inconveniente, la dejó pasar.

-Está usted rodeada de gente incompetente...

-Escuche, esto no es ningún juego, ha muerto un hombre enfermo...

-¿A quién se refiere?

-No se haga el loco. A Carlos. Y le juro que no va a salvar a su mujer. Ahora llame a su ayudante.

-¿Usted mató a Julita, señora?

El asombro pinta sombras delicadas en el fino perfil de la artista. Los rasgos se difunden en cortes ambarinos.

-¿Se ha vuelto loco?

-No digo directamente... es usted muy fina... es del pelaje de los que encargan los trabajos... ¿o también tengo que explicárselo como si no supiera nada?

La mujer no replica. Sus ojos grises se cubren de sombras, su boca se entreabre y sus palabras parecen un débil silbido.

-¿Qué es lo que está diciendo ahora?

-Está bien. Esta mañana dos tipos de esos de las bandas de rapados mataron a Julita cuando venía a abrir el bar. Antes le rajaron el bolso, así que va a tener que ir a reclamarles a ellos. Todo lo que llevaba Julita está en la comisaría o en la morgue o yo que sé donde demonios... vaya a la policía y pregunte... ellos estarán encantados de hablar con usted. Les encanta la charla.

-La mujer se levanta lentamente.

-Sí. Sí, voy a ir y voy a explicarles que usted mandó a esa mujer a registrar mi piso,

que abrió todos mis cuadros, que arrancó las telas de los marcos...

Juan ve, como en cámara lenta, cómo la mujer se sienta de nuevo, aparta el café frío, su mano delicada le apresa la muñeca y su voz apenas se contiene en un susurro helado.

-Qué buscaba, maldito, qué buscaba...

Una mano se posa en el hombro de la pintora. El guardia civil la mira, en sus ojos una cierta ternura.

-Paula, no sabemos qué buscaba. Escúcheme a mí. Ni Juan ni usted lo saben, pero alguien se vengó de ella o simplemente sospechó que había encontrado algo... quizás algo que la acusaba a usted...

-Eso no me preocupa. Yo no maté a Carlos. Era un buen hombre. Estaba loco de sufrimiento, no podía dejar la droga.

-He visto el cuadro que pinto de él. Sí. Transmite dolor. Lo vi en la sala de arte, en su exposición.

Y entonces la mujer se ablanda. Las lágrimas se deslizan y sus manos se extienden como garras de paloma.

-Era un buen hombre, estaba enfermo, pero era un buen hombre. Nunca perdonaré a su mujer, Juan Abreu. Siempre estaré sobre ustedes.

El guardia civil se sienta al lado de la mujer y le hace un gesto al marino.

-Anda, Juan, dile a Ramoncín que nos mande un par de coñacs. A la señora le hace falta.

Y Juan se va y desde el bar ve como el jubilado habla y habla con ella y ella niega y afirma, y afirma y niega, y gesticula, delicada, hostil, versátil, firme y dura.

Cuando la mujer se levanta, se encoge de hombros como siguiéndole la corriente al anciano, y sale del bar acompañada de él. Una estampa inocente: Un viejo galante, acompañando a una dama.

-Luego vuelvo- dice el hombre.

Y vaya si vuelve: Justo a la hora de cerrar aparece con dos compañeros que se sientan cerca de la puerta. Un cierto aire entre matones y policías, entre protectores y asesinos.

-Anda en malas compañías, Don Agustín.

-Estamos para acompañarte. Esta noche, quizás no conviene que se quede el bar solo; y ahora, empieza a buscar mientras ese par juega al dominó porque tú no sales de aquí hasta que encuentres algo.

A Juan Abreu, el marino, aquello le parece demasiado complicado y piensa que la gente de tierra está completamente loca. Luego saca la hoja de papel de su bolsillo y se la entrega al guardia.

-Julita escribió esto en una agenda de la Lola.

-O sea que Julita encontró algo en casa de la pintora y lo vino a esconder aquí. La señora Carmeta lo dijo: "Estaba saliendo del bar", pero ¿quién hace caso de una vieja insomne? ¿Te acuerdas dónde había escondido Julia la otra agenda?

Asiente sin decir nada y entonces se da cuenta de que la maceta en la que está pensando no está. Alguien la cambió de sitio. No tiene ni idea cual es.

-En una de esas macetas...

-Pues a la faena, hijo, sólo hay unas doce.

Vuelca la primera de ella y la tierra se extiende por el suelo y las raíces ladran su quejido.

Los dos jugadores se levantan como percibiendo una señal y la emprenden con las macetas dándoles la vuelta. En la quinta hay un envoltorio abultado, pegado con papel engomado, al fondo. El guardia civil lo arranca.

-Gracias, muchachos, sigan con su dominó y vigilen.

-Muy a la orden.

-Vamos a ver qué es esto, Juan.

No está muy claro lo que es aquello. Son papeles, números de cuenta, contabilidad de empresas, bancos en el extranjero...

Y entonces suena el teléfono.

-Joder, es la una de la madrugada.

"¿Y si es Lola?"

-Diga.

La voz dura de Paula.

-Quiero hablar con Don Agustín y no tengo su teléfono, pensé que usted a lo mejor aún estaba ahí, y lo tendría y...

-Él está aquí. Espere un momento..

-Se me olvidó decirle algo... pero no creo que tenga mucha importancia...

-Dígame usted,

Las palabras moduladas y frías recorren el espacio. La cara de Don Agustín permanece imperturbable.

-Paula, venga mañana al bar en cuanto pueda y desde luego no hable con nadie, ni siquiera con sus amigos de esto.

-Por favor, Paula, es muy importante.

Cuando cuelga, Juan le mira preocupado,

-¿Qué, estoy en otro lío?

-No, pero con tu permiso voy a llamar a la policía. Tengo conocidos que vigilarán tu bar esta noche. Oye, ya sabes que vivo aquí cerca así que te invito a dormir en mi casa.

Juan sonríe.

"Qué teatro está armando el viejo".

-No, gracias.

Y entonces el jubilado se enfada.

-Se acabó, Juan. Se acabaron las contemplaciones. Tu mujer ha sido acusada de asesinato. No puedes buscarla. Te da miedo tanto que la encuentren como que no. Han asesinado a la muchacha que trabajaba en tu bar, ¿crees que eso son juegos?, ¿ a por quién irán ahora? ¿Alguien está buscando justo los papeles que tenemos ahora? Julia era lista, se arriesgó por ti. Te vienes a casa esta noche con toda esa papelería que hemos encontrado. Los leemos con calma y mañana se los llevamos a tu abogada.

Por un instante, el jubilado se queda pensativo.

-Cuántas veces ocurre –continúa con aire fatigado -, cuántas veces ocurre, Juan, que por fin sabes por qué ha ocurrido todo y no se lo puedes explicar al interesado porque está muerto. Así de fácil: ya no está.

-Nadie más va a morir –afirma Juan, ceñudo.

-De eso me estoy encargando, precisamente - responde el guardia, recuperando de pronto su energía -. No se hable más. Esta noche te vienes a mi casa y estos dos nos acompañan.

-¿Y lo de Lola?

-Te digo que estoy en eso. Vámonos, muchachos.

Ya en casa del viejo, leen los papeles y se miran en silencio. Comentan y murmuran exponen sus hipótesis y discuten. Los dos acompañantes juegan al dominó cerca de la puerta, taza tras taza de café.

Y creen que tienen algo, aunque la luz se abre despacio en sus silencios, creen que tienen algo que les llevará a una realidad diferente.

Pero aún hay un espacio que recorrer. El trecho entre la casa del jubilado y el edificio de la abogada. Y no saben si la muerte les aguardará paciente ofreciéndoles un último paseo.

A las diez de la mañana, por fin, les recibe la abogada en el despacho que comparte con otros socios.

Empieza a hojear lo que le llevan. Su mirada es severa.

-¿Cómo han conseguido esto?

-Dile.

"Coño, encima parece preocupada, como si nosotros fuéramos culpables".

-Los escondió en una maceta en mi bar una muchacha que asesinaron ayer.

-Ustedes, francamente, son una caja de continuas sorpresas... pero la muchacha, en fin, la que ustedes dicen que fue asesinada... ¿cómo los consiguió?

-Eso, a ciencia cierta, no lo podemos saber –afirma el guardia contundente.

-¿Quieren que yo lleve este asunto?

-Usted y sus socios, no sea que la maten.

La mujer sonríe y se apoya en el respaldo de su sillón. Luego, los mira inquisitiva.

-No saben lo que me están entregando.

-La carta es lo más importante –afirma Juan.

-¿Tienen copia de algo?

-De todo –contesta rápidamente el guardia. También lo dejamos en un notario con instrucciones, antes de venir...

La mujer, sin creérselo, vuelve a sonreír.

-Les ruego una absoluta prudencia. Ya no tiene por qué pasar nada.

Y Juan se estremece y se acuerda de los ojos azules de Julita. Y la marea del recuerdo le desazona y siente que necesita a Lola y el cuerpo le duele de desesperación.

-Esté tranquilo, señor Abreu, me voy a ocupar muy bien de lo de su esposa.

"Esté tranquilo, señor Abreu".

Pero la realidad es que ella no está allí.

"Tranquilícese, señor Abreu". Y aprende que las palabras son un código mágico que puede jugar, trastocar, transformar la realidad. Y, sin embargo, el dolor sigue estremeciendo su cuerpo porque aún no sabe cual es la suya.

PAULA

Llueve de nuevo esa mañana de primavera. El guardia abre solemnemente su paraguas protegiéndose; al marino le es indiferente. Caminan despacio, desorientados después de la tensión. Robots desengrasados, buscando integrarse a una maquinaria que desconocen.

-Me apetece un carajillo en tu bar...

-Vamos... ¿Sabe, Don Agustín?... siempre pensé que Paula o Julia se habían cargado al Mata.

-No, si tú con tal que no fuera la Lola, sospechabas del sereno.

El bar está abierto, dentro, Ramón y su tía atienden a la clientela. Al fondo, rígida, seria, la pintora mira la puerta. Los dos se sientan en su mesa.

-Dos carajillos, Ramón.

La mujer está fumando.

-Díganme ustedes.

-Mire Paula, ayer encontramos dos cosas muy importantes. Una, unos papeles que hemos entregado a un despacho de abogados, y dos: esta carta, que es una copia, naturalmente, de la que tienen los abogados. Luego entenderá por qué es tan importante lo que me dijo anoche por teléfono. ¿Reconoce la letra?

-¡Dios mío!

-Sí. Léala, por favor.

"Roberto:

Aparte de saber, como siempre he sabido, querido hermano, que eres un cerdo, tengo, por fin, todos los papeles necesarios para "empapelarte" bastante bien, pruebas molestas sobre tus impuestos, evasión de capital, minucias de esas que tú haces constantemente, la muerte accidental de tu secretaria hace dos años, y algunas cosas más. Necesito "pela", "money", ¿entiendes? Así que a ver lo que haces. No vuelvas a negarme dinero. Necesito mucho más para lo mío. Te espero esta noche a las diez en el callejón, detrás de "El Pirata". Dejo copia de esta carta en lugar seguro por si se te ocurre jugármela. Tu querido brother.

Carlos

De pronto, la carta está mojada. La pintora levanta la cabeza. En el rostro de la mujer brilla la humedad de las lágrimas, brillan los recuerdos perdidos.

-Es su letra, es su letra –murmura.

-¿Comprende que es muy importante lo que me contó anoche?

-Sí. Anoche recordé que la única persona a la que le había comentado que Julia había entrado en mi piso fue a Roberto Mata, él me había dicho que no llamara a la policía, que él se encargaría.

-Se encargó. Mandó matar a Julita. Estaban buscando los papeles y se les fue la mano. Quizás los muchachos hablen cuando vean en qué lío están...

-Anoche, cuando supe lo de... lo de su empleada, me quedé pensando... después de morir Carlos, alguien registró todo mi piso. Parecía una pesadilla... mis pinturas... arrancadas de los marcos... todo revuelto... Inmediatamente llamé a la policía. Aún no han encontrado una pista. En el entierro conocí a Roberto, fue muy amable, todo un caballero... ¡canalla! Me preguntó si no tenía ningún papel de Carlos, le dije que no, pero le prometí tenerle informado de cualquier pista que nos pudiera ayudar... Insistió en que era seguro que la señora del bar le había matado, pero que necesitaba limpiar la memoria de su hermano. Que nadie le recordara como un drogadicto, necesitaba que la familia Mata no sufriera más por esto.

-¿Por qué registró su piso? Lorenzo y usted... en fin...

El asombro se pinta en la cara de Juan.

-Sí. No ponga esa cara de asombro. Estábamos enamorados, nos queríamos; a temporadas vivía en mi casa; pero ese problema... a veces era encantador, a veces se ponía como un loco, a veces se quedaba quieto, serio, como ido, como idiota, o de pronto enloquecía, salía a la calle y no regresaba en semanas... Últimamente necesitaba drogas y más drogas y las combinaba... no sé como podía pagar las cantidades de dinero que necesitaba...

-El hermano.

-Sí. Incluso a veces vivía con él y su familia. .. Anteanoche, cuando el portero me describió a Julia y vi otra vez los cuadros arrancados de sus marcos, me puse furiosa. Esta vez, llamé a Roberto y se lo expliqué. Su reacción me dejo perpleja.

-¿Qué hizo?

-Se puso como loco. Pero, ¿no tenías todos tus cuadros la primera vez que entraron en tu casa? – me preguntó. No, le dije-, estos cuatro se los había llevado Carlos a cotizarlos con unos amigos, no estaban en casa ni en la galería. Me los acaban de devolver....

-¿Entonces fue cuando se puso furioso?

-Oh, furioso es poco. No me dejaba hablar, estaba excitadísimo, empezó a insultarme: Que yo no entendía nada, que si había notado algo raro en los cuadros, le dije que dos de ellos estaban algo abultados, pero que no había tenido tiempo de mirar qué había en ellos... pero en fin, estaba tan alterado que le amenacé con colgarle el teléfono; entonces se puso muy amable otra vez: Que estaba muy preocupado por la memoria de Carlos, que ninguno sabíamos en realidad en que líos se metía debido a su... "enfermedad", que por eso deseaba encontrar todo lo que él hubiera escrito...y sobre todo, me insistió en que ya no me molestara en llamar a la policía, que él se encargaba. Pero yo ya no me fiaba de él. Pensé que hablaría con Julia, estaba segura de que usted la había mandado a dejar algo en mi piso, algo que me implicara en el asesinato y dejara fuera del asunto a su mujer. Por eso vine hecha una furia, quería hablar con ella... cuando me dijo que la habían matado... me quedé helada. Ya no sabía cual era la realidad. Y luego recordé que sólo el canalla de Roberto sabía que Julia había estado allí.

-Ahí tiene esa carta –murmuró Juan y sin saber cómo, se escuchó diciendo-,

la realidad es difícil.

-Pobre Carlos.

Los dos hombres se miraron.

-Ya sé lo que piensan de él, que era malo; enfermo, drogado, como quieran decir; sí, molestaba a la gente, no sabía lo que hacía, un tipo peligroso. Pues yo les digo que era sólo una fiera acorralada. ¿Saben quién le inició en la droga? Su hermano -sonrió malévola- y luego el asunto se les escapó de las manos.

La pintora apagó su cigarro, miró a los dos hombres y se levanto despacio. Una bruma gris y suave. Dejó una artística tarjeta gris y azul sobre la mesa.

Si quieren algo, ahí está tienen mi dirección. Haré de testigo en lo que haga falta... pero hay algo que quisiera decirles: Carlos se extrañaba muchas veces de que él -que simplemente estaba enfermo-, fuera un marginado y tipos tan canallas como su hermano, personas muy respetadas...Yo, entonces, pensaba que eran celos...

Cuando la mujer salió del bar aún se oyó su suave

taconeo, aun quedó su perfume, su perfume teñido de desesperanza.

-Lo que es el amor, vamos –afirmó Don Agustín-, porque no es por nada pero "el Flaco" era un desgraciado.

-Eso es lo que ella ha dicho- contestó Juan pensativo.

Luego, apuraron sus cafés.

Sabían que tenían pruebas para culpar a Mata de muchas cosas, era casi seguro que iría a la cárcel pero y ¿lo de Lola?

-Es un chorizo rico. El juicio será largo.

-Sí, será largo.

LOLA

Mata fue detenido y salió enseguida de la cárcel, y siguió afirmando "que lo de matar a su hermano, eso sí que no" y volvió a entrar en la cárcel y volvió a salir y así hubiera seguido la cosa si la señora Carmeta no le hubiera reconocido en los periódicos y le hubiera comentado a su marido Don Agustín, el guardia civil jubilado, que conocía a ese hombre.

-Oh, un elegante de esos. No me vas a creer, la noche que mataron a aquel muchacho flaco y loco, hace unos meses... El que molestaba tanto en el barrio. Era ese. Estoy segura. Bajé a protestar del perro de los vecinos del callejón de atrás del bar y él, un caballero, te lo aseguro. El loquillo ese estaba molestando a una mujer, me pareció Lola...

Don Agustín la escuchaba anonadado.

-Y ella le pegó un rodillazo y le tiró algo a la cabeza y salió corriendo... y el tipo se cayó y entonces, llegó este hombre, el empresario, el de las fotos del periódico y le dijo, bueno, ya sabes como habla la gente ahora... que le iba a matar y unos insultos muy groseros... y yo quería invitar a Lola Serra a una copa de anís para que se le pasara el susto, pero ella ya se había ido y los hom-

101

bres se iban enfadando cada vez más y el educado le acercó algo al cuello, del pobre flaco, pero él no se asustó, no, y aún le plantó cara, así que no me atreví a cruzar el callejón y me volví sin protestar de los dichosos perros, que por cierto se han muerto hace quince días, gracias a Dios... ¿qué te pasa Agustín, por qué me miras así?

-Carmeta, Carmeta ¿tú te has enterado de lo que le ha pasado a Lola Serra?

-Calla, calla, que no me gustan los chismes. Bueno, se debe haber peleado con Juan porque como es muy guapo las muchachas intentan quitárselo. Pero son cosas de jóvenes. Ya se les pasará. Voy a regar las plantas.

"Voy a regar las plantas". Y sus pasos suaves hacia el balcón.

El jubilado marcó despacio un número de teléfono.

-¿Juan? Voy para el bar.

-Carmeta. Voy a cenar con Juan.

"Ya era otoño. Seis meses desde que se había ido la Lola. Cómo la extrañaba. Roberto Mata en la cárcel. Entrando y saliendo, ya se sabe, según qué abogado fuera más listo. Don Agustín casado con la brava Carmeta y el mismo Don Agustín, llamándole que iba a cenar".

-Hola, Don Agustín, ¿ahora me llama antes de venir?

-Calla, coño, que nunca dejas hablar.

-Joder, qué mosca le ha picado, venga y siéntese aquí, han venido Jaume y Pepe.

-Vale más que te sientes tú. No vas a creer lo que te voy a contar.

No le creyó.

Pero los abogados, sí.

Y en el desajuste de denuncias y testigos, de investigaciones y coartadas, el dinero de Roberto se diluía y los desórdenes construían la historia. Llovía aquella primavera y la locura envolvía a la familia Mata, abocada a esa muerte fraternal y bíblica. Sólo quedaba silencio para ellos. El silencio como una bendición en el olvido.

"La realidad es difícil" –había dicho la abogada. A veces se encuentra entre las hojas de unas macetas, en el balcón de un barrio medieval. A veces las gárgolas se estremecen a tu paso pero sólo te ofrecen su silencio.

No pudo encontrar a Lola. ¿Se habría ido de verdad a Francia? Las tardes murieron y siguieron deshaciéndose en los cristales. La pintora iba de tarde en tarde a tomar su café y dibujaba en silencio, en ese lugar mágico para ella. Y Juan la miraba y su corazón se cerraba aún más.

Y entonces, se preparaba un café muy despacio, un café como sólo sabía prepararlo él, y cada vez que sonaba el teléfono o veía una silueta de cabello oscuro y no era Lola, cerraba los ojos y sorbía el café y rezaba.

"Maldita sea, Lola, que ya no fumo".

Por eso la tarde que se abrió la puerta y una mujer entró decidida al bar, miró hacia otro lado porque es que ésta se le parecía demasiado.

Y también era su voz.

Y su taconeo.

-Juan, Juan, ¿es qué ya no me conoces?

Y se acercó. Y era "la" Lola.

Y cuando él la abrazó y apretó con rabia su cuerpo contra el de ella, la mujer se rió y le besó y le alborotó el cabello y dijo aquello de "ay, que calor hace aquí".

Y luego miró las plantas y el piano.

-No me preguntes nada –dijo decidida, poniéndose el delantal -. Mira, ese vaso no está bien lavado. Luego me presentas a los nuevos.

-Pero, joder, Lola, te desapareces seis meses y llegas así por el morro y te pones a mangonear... y no me explicas nada, ¿dónde estabas? dime...

-¿Es que no quieres que me quede?

Y él la volvió a abrazar. Y ella notó entonces la fatiga del rostro del hombre, la fatiga de su alma. Suspiró, sacó un papel de su bolso y lo dejó sobre la barra...

-No te asustes mucho, te aviso...

Eran unos análisis.

Dolores Serra: Seropositiva.

Y volvió a llover sobre el alma del barman. Rompió el papel en pedazos diminutos y abrazó a la mujer diciendo:

-A mí qué coño me importa eso. Tú quédate conmigo, Lola, luego buscaremos...

-Ay, Juan, qué bárbaro, por eso te quiero. Mira esos análisis, estaban equivocados, pero pasé seis meses sin saber que era un error y claro, ni loca te lo quería decir porque estaba segura que me ibas a contestar eso. Ay, Dios mío, ya te contaré cuantas cosas me ha pasado y que amigas tan buenas tengo. No, si tengo una suerte. Incluso el día que me fui, tú comentaste no sé qué del SIDA y yo que hacía un rato que había recogido estos análisis y estaba pensando que me iba a morir, pues mira tío, me puse furiosa contigo. Ay, pobre hombre, además si supieras lo que me pasó, no te lo quería decir, pero el loco ese del Mata, ese delgaducho que anda siempre colocadísimo, que va y me asalta, el cabrón, y le pego una patada y salgo a la carrera y veo a aquel tipo elegante que había venido alguna vez aquí que le coge del cuello y me dice "escápese, corra, yo me encargo" y salgo a la carrera y veo de lejos a la señora Carmeta, con una bata rosa, haciéndome señas y yo salgo corriendo y llego a casa temblando y no creas, muchos meses he estado soñando con el susto que me dio ese desgraciado, y encima creyendo que tenía SIDA... pero, pues no, gracias a Dios. Hace dos días me enteré que no tenía, que había sido un error y... pero luego te explico con detalle... y... ¿dónde está Julita?

-Lola.

-¿Qué?

- Lola, ¿tú no lees los periódicos?

-No, nunca, ¿por qué? Sólo ponen desgracias.

-Lola, asesinaron a Mata, el yonqui...

-Pues que horror, pero es que ése era de cuidado, un día u otro...

-Lola, luego te explico muchas cosas. Vamos a casa, nos tomamos el día libre. Ramón y la señora Nuria se encargan. Trabajan bien. Mañana empezamos nosotros.

-Oye, ¿y Don Agustín? el guardia.

-A ése ya no le cobro los carajillos.

-Haces bien.

Y el calvo y el engominado que llegan a tomarse su café de todos los días. El gesto amable, el gesto calculado y quizás, un punto, sincero.

-Buenos días, señor Abreu.

-Ya llegó su esposa. Felicidades.

-Y a esos que les importa si llegué, o no.

-Yo que sé. Aquí en la ciudad la gente ya sabes que está un poco tocada... ¿Sabes que ya no fumo?

-Ay, Juan, que alegría, eso sí que me hace feliz, porque es que, vamos, con el dichoso cigarro los hombres os vais a matar. ¿Te has aburrido, sin mí?

Los ojos oscuros, insinuantes, llena de curvas, quizás un poco más delgada, un cierto aire de gitana desvelada... la cabellera oscura. Demonios con la Lola. Demonios con la Lola.

-Pues...sí... me he aburrido un poco.

Y Juan ve que los rayos del sol se deshacen y brillan sobre las terrazas mojadas de la ciudad y dice:

-Qué día tan espléndido hace.

Y la Lola, riendo, abre el paraguas.

Blanca Mart

Este libro, el primero de la autora que se publica en Felou, inaugura la serie *Cículo de Palabras*. Se terminó de imprimir en febrero del 2007 en Offset Santiago, S.A. de C.V. Río San Joaquín No. 436, Col. Ampliación Granada C.P. 11520, México, D.F. La tipografía se realizó en tipos Garamond de 12 puntos. Diseño editorial por Jorge Romero. La coordinación editorial y corrección de estilo a cargo de Olga Fuentes Soto.